THE OLD TESTAMENT

IN THE DIALECT OF
THE BLACK COUNTRY

PART I

THE BOOKS OF GENESIS
TO DEUTERONOMY

by

KA[illegible] FLETCHER

Published by The Black Country Society, 49 Victoria Road,
Tipton, West Midlands.

FIRST IMPRESSION JUNE 1975
SECOND IMPRESSION JULY 1979
THIRD IMPRESSION JULY 1989
FOURTH IMPRESSION SEPTEMBER 1992

ISBN 0 904015 09 2

To my cousin
The Reverend Albert St. John Lemon

Being of Black Country origin, I have a deep interest in the Black Country as a whole, and particularly in its dialect which I hope this book may help to preserve. I have tried to cover the main stories which the Bible teaches, but the story of the Old Testament does not claim to be an exact translation.

The names of Biblical characters and place names retain their authentic spelling.

Kate Fletcher
1975

Cover design: C. L. BAKER (Clebak)

Printed by: Reliance Printing Works, Halesowen, West Midlands.

EDITOR'S NOTE

This work has entailed considerable editing problems and has been carefully perused at least six times for errors and inconsistencies, in what our printer has described as: "Like setting a foreign language." Inevitably, mistakes will still have slipped through.

It should be remembered that Black Country dialect varies from locality to locality. This is mainly that of the Bilston area, where the writer was born and grew up.

The 'audacity' in presenting the Old Testament in dialect will be regarded as sacrilege in some quarters. This is understood, but it should be recognised that the original scribes would have used their own dialect, as would subsequent translators. Certainly, there was in Britain no such thing as King's English in those days!

For my part, I am convinced that more people will have a better knowledge of The Old Testament through reading this, and readily admit personally to having learned more of the Biblical characters in these pages, than I had done elsewhere in more than half a century of living.

Also, I have discovered that Black Country people use in their dialect and sayings, words and expressions which have definite Biblical sources. I will quote two.

My mother would say, when there was a slight temporary alleviation of our poverty, "There's corn in Egypt." Now I know why.

My father, referring to the space for the ashes beneath the fire, would call it . . . "The ess hole." I now know that the ess, in the language of the Authorised Version means, ash.

Harold Parsons

GENESIS

(Chapters 1 & 2)

TER start evvrythin' off, God med the wairld. Mind yo' 'e cudn't see ennythin' cuz it wuz all dark, soo 'e sed, "Let's a' sum lite" an' the lite cum, an' 'e wor arf plaised wi' it, soo 'e called it Day, an' the darkniss 'e called Nite.

The nex' day God med the clowds an' the sky an' called it 'Evv'n.

The thaird day 'e purra lorro wairter rahnd the plairse an' called it the say. The dry land 'e called airth an' 'e med sum trees an' bushis an' plantid um on it.

On the fowerth day 'e med sum lites — tew big uns an' alorro little uns. 'E purrum all in the sky an' sed, "One o' yow lites is the mewn an' yown gorra shine at nite, an' th'uther is the sun an' yown gorra shine in the day, an' all yow little uns um gunna be called stars an' yow con shine at nite wi' the mewn ter mek a bit mower lite wen it's dark."

The fifth day 'e med alorro diffrunt things. 'E med bairds, sum ter stop on the wairter an' sum ter fly arahnd an' stop on the land. 'E alsoo med sum fishis, all syzis frum a jack-bannuk tew a wairle.

Then on the sixth day 'e med th' animuls, them wot live in the jungul, an' them wot dow, like cats, dogs an' 'ossiz. 'E med bobowlers an' all th' uther insects, an' wairms, an' all things wot crape.

Then 'e med a mon in 'iz oon imij ahter the dust. God breethed inter this mon an' the mon cum alive, an' 'e nairmed 'im Adam.

The nex' thing wot God did wuz ter mek sumwe'er nice fer Adam ter live, soo 'e med a luvvly gardin' wi' frewt trees an' a rivva runnin' threw it an' called it the Gardin ov Eden.

God tuk Adam inter the gardin an' sed, "This is the plairse arn med fer yer ter live in. Now yo' con ate as much o' the frewt as yo' like excep' off that tree the'er. That tree is the tree ov the nolij ov gud an' ayvil, an' if yo' ate ennythin' off it yowl shooerly die."

Then God thort it wor very nice fer Adam ter be livvin' the'er by 'izself, soo 'e med 'im goo ter slaype, an' wile 'e wuz the'er snooerin' God tuk a birra boon aht ov Adam's side an' med a wumun aht on it.

'E tuk the wumun tew Adam an' sed, "Ere yo' bin Adam, arn med a missis fer yer. 'Ere 'er iz, tek care on 'er an' gi' 'er a nairme, an' arm gunna gi' yow the privilij o' bein' gaffer oover all the livin' craychers worr arv med, but yown gorra rememba that arm the yed mon oover the lorron yer, an' if yo' dissabay me orduz ar share 'arf gi' yer sum 'ommer."

Adam called 'is missis Eve, an' all th' animuls an' bairds went tew 'im an' 'e gid them a nairme an' all.

Soo evvrythin' wuz finished in six days an' God wuz that satisfied wi' evvrythin' 'e dissidid t' 'ave a rest on the seventh day an' med it 'oly day.

GENESIS

(Chapters 3, 4 & 5)

THE'ER wuz a sairpunt in the gardin', an' a wickid spirit nairmed Satan gorr inside it, an' all ov a suddin' it startid ter spake tew Eve. It sed, "'As God tode ye yo' con ate ennythin' off the trees?" "Ar", sed Eve, "We con, excep' off that tree the'er," piyntin' ter the one God 'ad ferbid um ter tuch. "'E sez uz we shull die if we ate off that un".

The sairpunt sed, "Dow be ser saft; 'eez onny tode yer that cuz if yo' ate sum on it, it'l mek yer clever; yo' wo' die."

Eve lissund ter wot the sairpunt sed, an' remembrin uz 'ow it ud mek 'er clever 'er guz an' picks a lushus lukkin' opple off the tree. 'Er et a bit on it an' gid Adam a few bites on it. Suddinly, thay bewth started ter shairk wi' frite cuz thay 'eerd the yed mon's vise callin', "We'er bin yer?" Soo thay went an' 'id be'ind sum bushis.

God sed, "Ar know we'er yo' bin, cum aht on it. An' yo' 'ad summat off that tree ar tode yer not tew?"

Adam replied, "It wuz all 'er fault; 'er shuvved sum in me gob an' I atter ate it."

Eve sed, "It wor mar fault mister, 'onnist it wor; it wuz that sairpunt wot tode me t' a' sum, burr 'e must a' bin a coddin' me."

God wor 'arf savij an' sed, "Yown all med a tidy mess on it, an' arm agunna punish the lorr on yer."

Ter the sairpunt 'e sed, "Yown gorra squairm on yer bally wi' yer fairse in the dust fer the rest o' yower life," an' tew Eve 'e sed, "Arl mek shooer yo' 'ave yower share ov afflick-shuns", an' tew Adam 'e sed, "An' yown gorra wairk 'ard fer the rest o' yower life. Thee bisn't agooin' t' ave evvrythin' gid yer in fewcher; yown gorra grow yer onn frewt, an' ennythin' else yo' want t' ate."

God did promiss um tho' tharr if thay wuz reely sorry fer wot thay'd dun, wen thay wuz jed their boddiz ud tairn ter dust, burr 'ee'd tek their sowls t' 'Evv'n. 'E alsoo promissed um that one day 'ee'd send a sairvyer 'oo'd be punished, norr on'ny fer their sins, burr fer evvrybody elsis an' all.

God then chucked um aht uv the gardin' an' sent tew airnjuls ter wetch, an' a sword o' fiyer wot tairned evvry way ter stop um gooin' back, burr afower thay went 'e med um a coot apeece ahter sum animul skins.

Sum time lairter, Adam an' Eve 'ad tew sons. Th' eldist wuz nairmed Cain; the nex' one wuz nairmed Abel. Wen thayed growed up Cain wuz a gardiner an' Abel wuz a shepud. Sumtimes the pair on um wuz a bit naughty, burr Abel wuz allwiz sorry fer ennythin' 'e did wot wor rite, cuz 'e bileeved that sum day a sairvyer ud cum.

One day 'e med an altar aht uz alorro stoones an' gorra fiyer gooin' on it. Then 'e offud a lamb ter God be bairnin' it on th' altar. God day 'arf like Abel ter 'wairship 'im in this way.

Now Cain day care fer nobody ner nuthin' an' 'e wuz never sorry fer ennythin' wickid worr 'e dun. 'E day bileeve it abaht a sairvyer cummin' neether. Wen 'e offud ennythin' ter God, it wuz onny a birrer frewt, soo it med it as God day like Cain very much, an' becuz on it Cain cudn't abare Abel.

One day thay wuz in the field tergether, an' the'er wor' arf a scrap bitween um an' Cain killed Abel. God knowed wot wuz agooin' on an' sed ter Cain, "We'er's yower bruther?"
Cain sed, "Ar dow know; am ar me bruthers kayper?"
God tode Cain 'ee'd sid worr 'ee'd dun an' fer 'iz punishmint 'ee'd gorra traipse rahnd th' airth like un ode tramp wi' no proper wum ter goo tew, an' if 'e tried ter grow ennythin' t' ate the weeds ud cum up an' choke worrever 'e wuz tryin' ter grow. God went on ter tell 'im tharr evvrybody wot sid 'im ud waant ter kill 'im, but God wor agunna let nobody kill 'im cuz 'e waantid ter punish 'im 'izself, soo 'e purr a mark on Cain.

We bay tode wot sort ov a mark it woz, burr it wuz summat as evvrybody cud see, an' wen thay sid it thay knowed it wuz Cain an' remembud God's cummarnd that thay 'adn't gorra kill 'im.

Adam lived a lung wile after this an' 'im an' Eve 'ad mower kids. 'E wuz nine 'undrud an' thairty wen 'e died. The'er wor ser menny fowks on th' airth then, soo God yewse ter let um live lunger than 'e duz now.

One o' the men oo lived wen Adam wuz alive wuz nairmed Enoch, burr if 'ee'd a lived in the Black Country 'ee'd a bin called Aynuk. Enoch luvved God an' wuz ever such a gud mon, an' wen 'e wuz three 'undrud an' sixty-five 'ear ode, God did summat wundaful forr 'im. 'E tuk 'im intew 'Evv'n wile 'e wuz still alive — 'e day atter die fust like evvrybody else duz!

Enoch 'ad a son nairmed Methuselah, an' 'e wuz th' owdist mon wotever lived. 'E wuz nine 'undrud an' sixty-nine 'ear ode wen 'e died.

GENESIS

(Chapters 6—9)

A gud menny 'ear lairter the'er wuz alot mower fowks livin' in the wairld an' thay wuz all alorro wickid scowndruls excep' one bloke an' 'iz nairme wuz Noah. God kep' gerrin' mower an' mower savij wi' evvrybody cuz o' their wickidniss. Enny rode up, 'e dissidid 'ee'd gorra dew summat abaht it, soo the fust thing 'e did wuz ter tell Noah ter bild a big boat called ARK. It 'ad gorra be three storiz 'igh, an' wen 'ee'd dun it 'ee'd gorra tek 'iz famlee wi' 'im an' sum uv evvry kind ov animul, baird an' insect, an' tek um in th' Ark, cuz 'e wuz that fed up wi' evvrybody else 'e wuz gunna drahn the lorron um.

Noah startid ter bild this 'ere Ark ov 'iz an' it day 'arf tek a gud menny 'ear ter bild it.

Noah yewse ter praych an' all. 'E tode evvrybody az God wuz gunna punish the lorron um fer bein' ser wickid, but nobody tuk enny nowtiss on 'im, thay onny loffed, but Noah knowed uz thay'd all be loffin' up th' uther side o' their fairsis sum day.

Noah wairked pairshuntly til th' Ark wuz finished, an' wen it wuz dun God tode 'im it wuz time ter tek 'iz missis, 'iz sons, an' their missisis, an' all the craychers inter th' Ark. Wen Noah 'ad gorrum all sairf inside God shut the dewer on um.

Seven days lairter the rairn started. It cum dahn in torrunts fer fowerty days an' nites wi'aht stoppin' — it day 'arf chuck it dahn ! The wairter liftid th' Ark an' it kep' gooin' 'igher an' 'igher an' evenchally it wuz th' onny thing that cud be sid besides wairter. All the tree tops an' mahntin paykes wuz cuvvud wi' wairter, soo evvrybody wot wor in th' Ark got drahned.

But God tuk care on um all in th' Ark wile all this gairm wus gooin' on. After Noah an' all on um 'ad bin in th' Ark 'undrud an' fifty days the wairter 'ad gon dahn a bit an' th' Ark wuz restin' on top ov a mahntin called Ararat an' it stopped the'er fer mower than tew munths. One day, Noah sid the wairter wuz gooin' dahn a bit, soo 'e owpund one o' the winders an' lerr a rairvun goo. The rairvun restid on top o' the mahntin' or on top o' th' Ark ut nite, burr it wudn't goo back ter Noah agen.

The nex' time Noah let summat goo it wuz a duv. It 'ad a fly rahnd an' went back ter Noah, soo 'e knowed it wor yet sairf ter gerr aht th' Ark. A wik lairter 'e let the duv goo agen an' in the evenin' it cum back wi' an olive leaf in its bayke, soo Noah knowed the wairter wuz agooin' dahn. Anuther wik lairter 'e sent the duv off agen an' it day goo back no mower, soo it med it as Noah knowed it wuz nearly time fer the lorron um ter be gerrin' aht th' Ark.

Wen Noah sid the grahnd wuz dry, God spoke tew 'im an' tode 'im uz 'e cud bring evvrythin' an' evvrybody aht th' Ark cuz it wuz sairf agen. 'E tode Noah as 'im an' 'iz sons 'ad gorra be the gaffers oover evvrythin' wot wuz livvin' on th' airth, cuz the'er wor nobody else ter be gaffers, anyrode. God alsoo tode um tharr if thay waantid tew thay cud kill any animul thay'd a mind tew an' ate the flesh on it fer their fewd, insted o' just aytin' off trees. Noah thanked God be bildin' an altar an' bairnin' an animul on it jus' like Abel did.

God alsoo med a promiss an' gid Noah a towkun ov is promiss. 'E med a bewriful bow, all pritty culuz an' purr it in the sky an' tode Noah tharr evvrytime 'e sid this rairnbow in the sky 'e wud rememba God's promiss, tharr 'e wor agunna flud th' airth agen.

Noah lived after the flud fer a gud menny 'ear. 'E died wen 'e wuz nine 'undrud an' fifty 'ear ode.

GENESIS

(Chapters 11—17)

NOAH'S kids 'ad kids o' their oon, an' then thay evenchally 'ad kids, an' after a lung wile the'er wuz a gud menny fowks on th' airth agen.

Now yow'd athort thay'd abin careful soo as not tew offend God, but thay day care. Thay knowed 'e wor agunna send anutha flud, an' thay day think 'e cud dew ennythin' else tew um, soo it wor lung afower thay wuz all sinnin' agen.

The'er wuz onny one langwij in the wairld then. Evvrybody talked the sairme an' thay cud all understand aych uther. One day, sum on um wuz walkin' threw the land ov Shinar an' the'er wuz plenty o' rewm the'er, soo thay dissidid ter mek sum bricks an' bild a tower wot ud raych 'Evv'n.

We dow reelly know why thay waantid ter bild it, but God gessed it wuz fer sum wickid pairpuss soo 'e cum dahn frum 'Evv'n an' wen 'e sid it 'e day like it, soo 'e sez tew 'izself, "Arl gi' um summat ter goo on wi' fer dewin' this."

Afower the tower cud be finished 'e wuz airble ter stop um be mekkin' um all spake diffrunt langwijiz. Yow shud 'ave 'eer'd the cackle that went on. Noboddy knowed worr ennybody else wuz on abaht, soo thay cudn't wairk tergether ennymower.

This tower thay tried ter build wuz called the Tower ov Babel.

Thay all 'ad ter goo an' settle in diffrunt parts o' the wairld after this, cuz onny them wot cud spake th' sairm langwij cud live tergether.

Menny 'ear after, in the land ov UR, the'er lived a mon called Abram. The fowks wot lived the'er wairshipped idols. God spoke tew Abram an' tode 'im tew abbay 'iz cummarnds an' 'e wud gide 'im ter the promissed land.

Abram wuz seventy five 'ear ode an' 'e tuk 'iz missis nairmed Sarai, an' 'iz neffew nairmed Lot, an' jairnid alung til 'e got ter the plairse God 'ad giydid 'im tew. The plairse wuz called Canaan.

The'er wuz a fammin in Canaan wen 'e got the'er, soo 'e

went on a bit fairther til 'e rayched Egypt an' stopped the'er til the fammin in Canaan wuz oover.

Abram wuz a rich mon. 'E 'ad alorro gode an' silva an' a lorro' cattle. Lot 'ad sum cattle an' all. Abram an' Lot bewth 'ad their oon 'airdsmun an' Abram's blokes wuz alliz kworrulin wi' Lot's blokes.

Abram got fed up wi' all this arguwin' wot wuz gooin' on, soo 'e went ter Lot an' sed, "Ar cor stick this gairm bitween yower blokes an' mine. God 'as gid me this land soo yow an' yower blokes 'ad berra tek yer 'uk an' goo an' find sumweer else ter live."

Lot tuk 'iz 'airdsmun an' cattle an' went ter live at a plairse called Sodom on the plairn o' Jordan. Lot wor a wickid mon, burr all the fowks wot lived at Sodom wuz wickid. It wor very lung after Lot went the'er wen the'er wuz a war on the plairn o' Jordan. Fower kings with an army cum an' fort agenst the fowks ov Sodom an' thay day 'arf gi' um a thrairpin'.

Thay pinched all their munee, fewd an' cloos an' cartid Lot an' evvrybody else off ter be their slairves. Sum'ow or uther Abram got t'ear abaht all this, soo 'e got sum ov 'iz mairts an' sum ov 'iz sairvunts an' thay went an' gid theez kings an' their army a gud lampin' an' wun the fite. Abram tuk the fowks wot ud bin capchud back wum an' gid um all their belungin's back.

After this, God spoke t' Abram an' tode 'im tharr 'e wuz 'iz frend an' sewn 'e wud 'ave a son wot ud be nairmed Isaac. God alsoo tode Abram tharr 'e wud 'ave a gud menny dissendunts. The'ered be that menny nobody ud be airble ter cahnt um an' thay wud oon the land o' Canaan.

Sarai 'ad gorr 'ondmaid nairmed Hagar. The tew on um 'ad a bost up one day an' Hagar run off inter the wilderniss we'er 'er thort nobody ud find 'er. 'Er sat by a spring o' wairter an' th'airnjul o' the Lord fun 'er the'er an' sed, "Wot'n yow serpowsed ter be dewin'?" Hagar tode th' airnjul all abaht the bost up an' sed 'er wor gooin' back ter Sarai no mower. Th' airnjul tode 'er ter goo back ter Sarai an' abbay 'er an' sed it wudn't be very lung afower Hagar ud 'ave a son wot shud be nairmed Ishmael 'an 'ee'd be a wild mon worr ud 'ave fites wi' uther blokes.

Soo Hagar went back ter Sarai an' it wor lung afower 'er 'ad this babby worr 'er called Ishmael. Wen Abram wuz ninety-nine 'ear ode, God tode 'im tharr 'e wuz gunna chairnj 'iz nairme ter Abraham, wich ment fairther ov a gud menny fowks, an' Sarai's nairme 'ad gorra be chairnjed ter Sarah, wich ment princess.

GENESIS

(Chapters 18—21)

ABRAHAM wuz sittin' by 'iz tent dewer one day an' wen 'e lukked up 'e sid three blokes standin' the'er. 'E went tew um an' asked one ov 'iz sairvunts ter fetch sum wairter forr um ter waash their fayt. Wile thay wuz waashin' um, Abraham went ter Sarah an' tode 'er ter bairk sum cairks an' lay on a spred cuz thay'd got vizituz. Theez three blokes wuz reely God an' tew airnjuls.

God tode Abraham 'e wuz sendin' 'iz airnjuls ter bairn Sodom an' Gomorrah. Gomorrah wuz anutha sitty near Sodom an' all the fowks wot lived in the tew sittiz wuz sinful. Abraham tode God us 'iz neffew lived at Sodom an' 'e wor a wickid mon. God tode 'im tharr if the'er wuz onny ten rychus fowks the'er 'e wudn't distriy the plairse.

Wen thay'd left Abraham's plairse the tew airnjuls went ter visit Lot. Thay waashed their fayt an' 'ad anutha fayd at Lot's wum. Thay asked Lot oo 'ee'd got belungin' 'im an' 'e tode um 'ee'd gorra missis, tew dorters an' tew sons-in-law. Then thay tode 'im thay wuz gunna bairn the plairse dahn the nex' day, soo it ud be berra ter tek 'iz famlee an' gerr on aht on it. Wen thay'd gon, Lot went an' tode 'iz sons-in-law an' thay sed, "Dow be ser saft; goo an' gerr off."

Wen mornin' cum th'airnjuls went ter Lot's plairse an' tode um t'urry up an' goo or thay'd all be bairnt ter jeth. Lot wuz the'er ditherin' abaht an' th'airnjuls copped ote ov 'iz 'ond an' th'onds ov 'iz missis an' dorters an' sed, "Scram kwick an' worrever enny on yer dew, dow yo' luk back."

The'er wuz a little sitty not tew fare away frum Sodom nairmed Zoar, an' Lot thort it was the best plairse forr um all ter goo. Soo thay all startid arunnin', but Lot's missis dissidid 'er'd atter 'ave a gawp at wot wuz gooin' on back wum, soo 'er tairned rahnd an' 'er died on the spot we'er 'er wus standin' an' wuz tairned intew a pillar o' salt.

Lot an' 'iz dorters arrived sairf at Zoar. Then God rairned fiyer an' brimstoon frum 'Evv'n on Sodom an' Gomorrah an' all the plairse an' the fowks in it wuz bairnt tew a gleed. Abraham sid all this smoke in the sky frum Canaan an' knowed that God 'adn't fun ten rychus fowks. 'E then dissidid ter go tew a plairse called Gerar, we'er sum fowks called Philistines lived. Wen 'e got the'er 'e sid the King ov Gerar oo tode 'im 'e cud live ennyweer 'e waantid tew an' gid 'im sum shayp an' cows an' sum sairvunts an' all.

Abraham wuz 'undrud 'ear ode wen Sarah 'ad the babby God 'ad promissed um an' 'e wuz nairmed Isaac. Wen Isaac wuz a little biy 'e 'ad a tay party an' invitid Ishmael.

Sarah sid Ishmael mimmickin' Isaac an' 'er day like it, soo 'er tode Abraham 'ee'd gorra send Ishmael an' 'iz muther Hagar away, cuz 'er wor 'avvin' nobody mimmickin' 'er son. Abraham tode um ter goo, an' gid um sum bred an' a bottle o' wairter ter goo wi. The bottle wuz med o' goat skin.

Hagar tuk the kid inter the wilderniss. A few days afta thay'd et all the bred an' drunk all the wairter, Ishmael startid ter get wek fer the waant o' summat t'ate an' drink. Hagar thort the lad wuz gunna die, soo 'er startid blartin' an' God 'eerd 'er. Then an airnjul bawled dahn frum 'Evv'n, "Wot's up wi' yer, Hagar?"

The airnjul tode 'er ter lift Ishmael up an' ode 'im in 'er arms. God then showed Hagar we'er the'er wuz a well o' wairter, soo 'er went an' filled the bottle an' gid Ishmael a drap a tew an' 'e sewn gorr orrite agen.

God wuz kind t' Ishmael afta this. 'E growed up in the wilderniss an' becuum archer. 'E wuz a dab 'ond wi' a bow an' arrer. Hagar fun Ishmael a missis frum Egypt, we'er 'er yewse ter live.

The King o' the Philistines sid that God wuz kind t' Abraham, an' asked Abraham ter promiss tharr 'e wud never dew 'im or 'iz kids enny 'arm. This king 'ad pinched one ov Abraham's wairter wells an' Abraham kweschund 'im abaht it. The king sed 'e day know nuthin' abaht it. Abraham then guz an' teks seven lambs frum 'iz flock an' purrum in a plairse by umselves.

The king sed, "Wot bist dewin', Airbrum?" Abraham sed, "Well yower majisty, arm ageein' yow them lambs an' evvry time yow see um yowl rememba tharr ar dug that well an' it belungs ter me." Soo the king an Abraham med a promiss tew aych uther ter be frends an' Abraham called the plairse Beer-sheba wot means "The well o' the oath".

Abraham plantid a tree at Beer-sheba ter mek a shaird rahnd the well, an' 'e cud goo an' say 'iz prayers the'er. Abraham stopped in the land o' the Philistines fer a lung wile.

GENESIS

(Chapters 22—25)

WEEREVER Abraham went 'e bilt altars an' offud bairnt offrinz ter God jus' like Abel an' Noah did. One day, God spoke tew Abraham an' tode 'im ter tek 'iz onny son Isaac tew a mahntin in the land uv Moriah an' offer 'im az a bairnt offrin az if 'e wuz a lamb. Abraham wuz ever s'upset abaht it, burr 'e knowed 'ee'd gorra abbay God.

Abraham chopped sum wud up at wum ter tek an' purr on th' altar. 'E purra saddle on a donkey an' tuk Isaac an' tew uv 'iz sairvunts an' sets off ter the plairse God 'ad tode 'im ter guttew. Isaac day know worr 'iz fairther wuz gunna dew, mind yer.

Afta thay'd bin travlin' tew days, Abraham tode the sairvunts thay needn't goo enny fairther. 'E tode um uz 'im an' Isaac wuz gooin' ter the mahntin ter wairship an' then cum back. 'E day waant the sairvunts ter know uz 'e wuz gunna bairn Isaac.

Abraham an' Isaac got ter the plairse on the mahntin an' bilt an altar, an' put wud on it. Abraham manijed ter tie Isaac up an' shuvved 'im on top o' th' altar. 'E gorra knife ahta 'iz pockit an' wuz jus' gunna kill Isaac wen 'e 'eerd airnjul frum 'Evv'n bawlin, "Airbrum, Airbrum."

Abraham ansud, "Ere ah bin."

Th' airnjul tode 'im not t'airt Isaac an' now knowed fer shewer tharr 'e wuz a gud Godfayerin' mon.

Abraham tairned rahnd an' sid a ram wi' its 'orns stuck in the bushis, soo 'e went an' killed it an' offud tharr az a sacrifice. God worr 'arf plaized wi' Abraham an' tode 'im 'e wud bless 'im.

Th' airnjul promised Abraham tharr 'iz dissendunts ud be az noomerus as the grairns o' sond on the say shooer. Nobody ud ever be airble ter cahnt um, an' 'e sed, "In thy seed shull all the nairshuns be blessed", wich ment that the sairvyer wot God 'ad promised ud be dissendid frum Abraham.

Abraham tuk Isaac ter the blokes an' donkey wot wuz wairtin' furrum an' thay all went back wum ter Beer-sheba. Sewn after, Abraham left Beer-sheba an' went ter live at a plairse called Hebron in Canaan.

Sarah died wen 'er wuz 'undrud an' twenty-seven 'ear ode, an' Abraham wor 'arf upset abaht it.

In them days thay yewster berry jed fowks be 'ollerin' cairves in rocks an' callin' um sepulkers. After thay'd berrid sumbody thay rolled a grairt big stoon up agen'st the sepulker til sumbody else 'ad gorrer be berrid. Abraham day waant Sarah ter be berrid wi' ennybody else, soo 'e guz tew a bloke nairmed Ephron, wot ud gorra field wi' a cairve in it. Ephron tode Abraham 'e cud a' the field an' cairve fer nuthin', burr Abraham insisted on payin' forr it an' gid Ephron fower 'undrud silver shekels in paymint.

Wen Isaac 'ad growed up 'iz fairther waantid 'im t' 'ave a missis, burr 'e day waant 'im t' 'ave a wench frum Canaan cuz evvrybody the'er wairshipped idols. 'E waantid 'im t' 'ave a wench frum the country we'er 'e yewster live, soo 'e asked 'iz owdist sairvunt ter goo the'er an' bring a wench fer Isaac.

The sairvunt tuk ten uv Abraham's camuls an' sum prezunts an' startid on 'iz jairney. In th' evenin 'e got ter the sitty an' sid sum wenchis drawrin' wairter frum a well an' thort 'ee'd pick the niysist un aht. 'E waantid God t' 'elp 'im, soo 'e nelt dahn ter say a prayer. Then a nice lukkin' wench cum alung carryin' a pitcher on 'er showder, an' 'er'd cum ter fill it frum the well. The sairvunt went tew 'er an' sed, "Con I 'ave a drink, plaize?"

The wench's nairme wuz Rebekah, an' 'er sed, "Ar — 'ere a' sum an' ahl gi' the camuls sum an' all."

The sairvunt gid Rebekah a gode ear-ring an' tew gode brairslits. Rebekah tode the sairvunt 'er fairther wuz nairmed Bethuel an' 'er'd gorra bruther nairmed Laban. It tairned aht az thay wuz rilairshuns uv Abraham. Abraham wuz Bethuel's uncle.

Rebekah asked the sairvunt ter goo back wum wi' 'er an' wen 'e got the'er the famlee day 'arf mek a fuss on 'im. The sairvunt sed 'ee'd cum ter find a missis fer Isaac an' asked if 'e cud tek Rebekah. Afta alorruv 'ummin' an' arrin', Rebekah went back wi' the sairvunt. Wen thay wuz nearly wum, Rebekah sid Isaac in the field an' the sairvunt tode 'er oo it woz, soo 'er cuvud 'er fairse wi' a vayle.

Isaac went tew 'er an' tuk 'er in the tent we'er 'iz muther yewster live. Thay bewth fell in luv an' Rebekah becum Isaac's wife..

Abraham died wen 'e wuz 'undrud an' seventy-five 'ear ode, an' wuz berrid in the sairm sepulker as Sarah. Isaac an' Rebekah 'ad twin sons. Th' eldist wuz nairmed Esau an' th' uther wuz nairmed Jacob.

In them days, wen ennyboddiz fairther died th' eldist son uv evvry famlee 'ad wot wuz called the bairthrite. This med 'im the cheff one amung all the childrun, an' 'ad mower than ennybody else did wen their fairther died.

Wen Esau an' Jacob wuz men, Esau wuz 'unter an' killed deer an' tuk the mayte wum tew 'iz fairther oo day 'arf like a birr o' venisun.

Jacob stopped a' wum an' lukked afta 'iz fairther's flocks an' med fewd called pottij. Esau cum in one day frum 'iz 'untin' an' felt ever ser bad an' asked Jacob ter gi' 'im 'iz pottij. Jacob sed, "Ahl gi' it yer if yowl sell me yower bairthrite."

Esau felt that bad 'e thort 'e wuz gunna die an' 'iz bairthrite ud dew 'im no gud, soo 'e sode it ter Jacob, an' Jacob gid 'im the pottij forr it.

GENESIS

(Chapters 26—31)

THE'ER wuz anuther fammin in Canaan, soo Isaac went ter Gerar, an' wile 'e wuz the'er God spoke tew 'im an' tode 'im ter stop the'er fer awile an' 'e wud bless 'im. Isaac sowed seed in the field an' reaped 'undrud times mower than 'ee'd sowed. 'E got rich an' 'ad a gud menny cattle. The Philistines wot lived in Gerar day like ter see 'im gerrin' richer than them, soo the king ov Gerar went to Isaac an' tode 'im ter goo an' gerr off.

Isaac went tew a valley an' pitched 'iz tent the'er. 'E fun the wells worr 'iz fairther 'ad dug 'ears afower, but the Philistines 'ad filled um up wi' airth.

Isaac an' 'iz sairvunts dug a noo well, but the Philistine 'airdsmun 'ad argewmint wi' Isaac an' 'iz blokes, an' sed it wuz thair'n an' tuk it off um, soo Isaac's gang atter dig anuther well. Sewn aftawuds, Isaac went ter live at Beer-sheba an' bilt altar the'er ter wairship God. Thay dug anuther well an' all.

The king o' the Philistines lived at Gerar an' went ter visit Isaac. 'E day like this king very much, cuz 'ee'd chucked 'im aht o' Gerar, an' asked 'im worr 'e waantid.

The king 'ad sid ow gud God woz tew Isaac an' asked 'im ter promiss not ter dew 'im or ennybody wot lived in Gerar enny 'arm. The king 'ad tuk tew frends wi' 'im an' Isaac promissed 'e wudn't airt enny on um an' gid um their dinna an' thay all becum frends.

Wen Esau wuz fowerty 'ear ode 'e tuk tew wives frum Canaan an' 'iz muther an' fairther day like it very much, cuz all the wimmin frum Canaan wairshipped idols.

Issac wuz gerrin' ode now an' 'ee'd gone blind. One day, 'e called Esau tew 'im an' asked 'im ter goo an' kill a deer, cuz 'e fansid a birr o' nice mayte. Isaac wor faylin' non tew gud an' tode Esau 'e waantid ter bless 'im an' promiss' im 'iz bairthrite wen 'e got back wum.

Rebekah 'eerd worr Isaac sed t' Esau an' 'er waantid Jacob ter be blessed fust cuz 'er liked Jacob berra than Esau.

Rebekah asked Jacob ter goo an' kill tew kids frum 'iz flock. Jacob did this an' tuk um wum tew 'iz mutha an' 'er tode 'im ter goo an' purr Esau's cloos on.

Afta 'er'd cukked the kids 'er sed, "Now goo an' tek yer fairther 'iz dinna; 'ee'l never know the diffruns bitween this an' a birr o' venisun."

Isaac felt the cloos Jacob wuz wairin' an' thort it wuz Esau, soo 'e 'et 'iz dinna an' then blessed Jacob. Jus' az 'ee'd finished blessin' 'im, Esau got wum an' fun aht tharr 'iz fairther 'ad blessed Jacob an' promissed 'im the best things. Wen Isaac fun aht tharr 'ee'd blessed Jacob insted ov Esau 'e day 'arf get wairked up abaht it. Esau begged on 'iz fairther ter bless 'im an' all.

Isaac did bless 'im burr 'e cudn't promiss 'im much cuz 'ee'd promissed nearly evvrythin' ter Jacob.

Esau wor a very gud mon an' day care abaht God an' sed tharr after 'iz fairther wuz jed 'ee'd goo an' kill Jacob. Jacob knowed 'ee'd dun rung, burr 'e wuz a gud chap moost o' the time an' God forgid 'im.

Rebekah knowed uz Esau ud kill Jacob if 'e stopped the'er, soo 'er sent 'im off ter goo an' live wi' 'er bruther, Laban. Jacob went on 'iz jairnee an' on the way 'e stopped t' 'ave a rest fer the nite an' yewsed sum stoones fer a piller ter rest 'iz yed. Wile 'e wuz 'avvin' a kip 'e 'ad a draym. 'E draymed the'er wuz a ladda stretchin' frum airth t' 'Evv'n. Airnjuls wuz gooin' up an' dahn it an' God stud abuv the top on it. God tode 'im 'e wud gi' 'im an' 'iz dissendunts the land o' Canaan an' weerever 'e went God wud gide 'im back ter Canaan agen. Wen Jacob woke up 'e wuz frit, soo 'e wair-shipped God wile 'e wuz the'er an' called the plairse Bethel, wot means "Th' 'ouse o' God."

Jacob tode God tharr az lung az 'e gid 'im bread t'ate, cloos ter wair, kep 'im frum 'arm, an' tuk 'im back sairf tew 'iz fairther's plairse agen, worrever 'e gairned aht on it, 'e wud gi' a tenth on it ter God. 'E knowed 'e cudn't put the things in God's 'onds, burr 'e promissed 'e wud 'elp the pewer an' the sick an' bild altars.

Evenchally, Jacob rayched Haran we'er Laban lived an' sid sum shepuds an' three flocks o' shayp lyin' by a well. A stoon wuz rolled over the mahth o' the well an' wen it wuz time fer the shayp ter be wairtud, the shepuds yewster roll the stoon off. Jacob asked the shepuds we'er thay lived an' thay tode 'im at Haran. 'E asked um if thay knowed Laban an' thay sed thay knowed 'im well. Wile thay all stud the'er rattlin', a wench cum wi' a flock o' shayp an' the shepuds tode Jacob az it wuz Laban's dorter nairmed Rachel.

Jacob guz an' kissis 'er an' tode 'er 'e wuz 'er rilairshun, an' 'e wairtud the shayp furr'er. Rachel run wum an' tode 'er fairther tharr 'iz sister Rebekah's son 'ad cum ter see um. Laban rushed aht ter meet Jacob an' med such a fuss on 'im, an' asked 'im ter stop the'er an' 'ave 'olidee wi' um fer a munth. After that, Laban asked Jacob 'ow much 'e shud pay 'im if 'e wud stop the'er an' luk after 'iz flocks.

Be this time Jacob 'ad fell in luv wi' Rachel an' sed 'e wud stop the'er fer seven 'ear if at th' end on it 'e cud a' Rachel furr'iz wife an' Laban agreed.

Rachel 'ad un owder sister nairmed Leah, but Jacob day like 'er az much az Rachel. Wen the seven 'ear wuz up, Laban wudn't let Jacob a' Rachel, an' sed 'ee'd gorr a' Leah, cuz yunger dorters cudn't be marrid afower th' owdist. Jacob wor very plaized abaht it, but sed 'ee'd stop anuther seven 'ear if 'e cud a' Rachel, soo that's worr 'e did, an' after fowerteen 'ear altergether 'e 'ad the pair on um fer 'iz wives. Leah an' Rachel bewth 'ad sons an' one day Jacob asked Laban if 'e cud tek um all wum ter see 'iz muther an' fairther wile thay wuz still alive. Laban day waant 'im ter goo an' sed, "Arl pay yer if yow'l stop 'ere. 'Ow much dun yer waant?"

Jacob asked fer sum cattle an' sum sairvunts. Laban gid 'im sum an' Jacob tuk um fairther away soo as ter keep um seprut frum Laban's flocks.

One day Laban's sons wuz carryin' on abaht Jacob an' 'e 'eerd um. Thay sed 'ee'd growed rich cuz 'ee'd tuk their fairther's cattle off 'im. Laban seemed a birr off 'ond wi' Jacob an' all. Then God spoke ter Jacob an' tode 'im it wuz time ter goo back ter the land ov 'is fairthers.

Jacob called Leah an' Rachel an' tode um wot God 'ad sed an' thay bewth begged on 'im ter dew as God 'ad cummarndid.

Wen Laban 'ad left wum ter goo an' shayer 'iz shayp, Jacob gathud evvrybody an' evvrythin' that belunged tew 'im an' tuk off. After three days Laban 'adn't sid enny o' Jacobs fowks or cattle nockin' arahnd, soo 'e gessed we'er thay'd gon an' tuk sum sairvunts an' went after 'im.

God spoke ter Laban in a draym an' tode 'im not tew 'arm Jacob. It tuk seven days afower 'e copped Jacob up an' be this time 'ee'd got tew a mahntin called Gilead. Jacob 'ad pitched 'iz tent at Mahnt Gilead an' wen Laban got the'er 'e pitched 'iz tent the'er an' all.

Laban asked Jacob why 'ee'd tuk off like that wi'aht tellin' 'im fust. Jacob sed 'e wuz frit becuz 'e mite not a let Leah an' Rachel goo wi' 'im. 'E day like Laban cummin' after 'im like this after 'ee'd wairked 'ard forr 'im fer twenty 'ear.

Then Laban startid bein' nice ter Jacob an' thay got pally agen. Thay kerlectid a lorr o' stoones an' purr um in a pile an' promissed thay'd never dew aych uther enny 'arm, an' evvrytime thay sid this pile o' stoones thay'd rememba their promissis.

Jacob bilt altar an' offud a sacrifice on Mahnt Gilead an' thay all 'ad a bostin fayde. Airly nex' mornin' Laban kissed Leah an' Rachel an' all their kids an' blessed um all an' then 'e went back wum.

GENESIS

(Chapters 32—36)

JACOB left Mahnt Gilead an' serr off terwards Canaan. 'E wuz gerrin' near ter we'er Esau lived an' sent sum messinjuz ter tell Esau 'e wuz acummin'. The messinjuz went an' then cum back ter Jacob an' tode 'im az Esau wuz on 'iz way wi' fower 'undrud blokes ter meet 'im.

This med Jacob frit an' 'e thort Esau mite kill 'im. Jacob prayed ter God tharr Esau wudn't airt enny on um. Jacob dividid sum ov 'iz cattle an' purra bloke in charj ov aych 'aird. 'E tode theez blokes ter goo one arr a time wi' a drove o' cattle an' wen thay met Esau thay wuz ter tell 'im tharr 'iz sairvunt Jacob 'ad sent the cattle az a prezunt. Altergether the'er wuz tew 'undrud an' twenty goats, tew 'undrud an' twenty shayp. thairty camuls wi' their colts, fowerty cows, ten bulls an' twenty donkiz wi' ten little uns.

Jacob gorr up in the nite an' sent Leah, Rachel an' 'iz illevun sons oover a straym o' wairter cuz 'e waantid ter be by 'izself. A bloke cum alung an' 'im an' Jacob startid resslin'. Wen this bloke sid 'ow strung Jacob woz 'e tuched Jacob's thigh, an' jus' be tuchin' it 'iz thigh wuz nocked aht o' jiynt an' 'e wuz lairm. The bloke asked Jacob worr 'iz nairme woz an' 'e tode 'im.

The bloke sed, "Yow ay gunna be called Jacob no mower; yer nairm's gunna be Israel," wot means a Prince ov God. This bloke wuz the sairme one wot tode Abraham 'e wuz gunna distriy Sodom an' Gomorrah 'ears afower. This mon wuz God.

Jacob sed, "An' wot's yower nairme?"

God ansud, "Why dun yer waant ter know mar nairme?" an' then 'e blessed Jacob.

Then Jacob sed, "Arv sid God", an' called the plairse Peniel, wot means "The fairse o' God."

Jacob lukked up an' sid Esau cummin' wi' theez fower 'undrud blokes. 'E went terwards Esau an' bowed dahn sevun times in frunt on 'im. Wen Esau sid Jacob dew this 'e run tew 'im an' purr 'iz arms rahnd 'im an' kissed 'im an' thay bewth startid blartin'.

Jacob intradooced all 'iz famlee t' Esau.

Esau sed, "An' wot'n yer waant ter gi' me all yower cattle fower?"

Jacob tode 'im uz thay wuz a prezunt.

Esau waantid Jacob ter goo on 'iz jairney, but Jacob waantid Esau ter goo wi' 'im.

Jacob sed 'e cudn't goo very kwick cuz o' the kids an' the cattle an' day waant ter rush, soo Esau went on fust by 'izself. Afta Esau 'ad gon, Jacob carried on slow til 'e got tew a plairse called Succoth. God spoke tew 'im wile 'e wuz the'er an' tode 'im ter goo ter Bethel an' bild altar the'er. Bethel wuz the plairse we'er Jacob 'ad that draym abaht the ladda, soo thay all went an' bilt altar an' offud a sacrifice.

Rebekah, Jacob's muther, 'ad a nuss nairmed Deborah, an' wen 'er died thay berrid 'er under un oak tree at Bethel.

God spoke ter Jacob agen an' blessed 'im an' tode 'im agen tharr 'iz nairme 'ad gorra be Israel. Jacob med a pillar o' stoon at Bethel ter rememba it wuz the plairse God 'ad spoke tew 'im.

Thay left Bethel an' got near ter Bethlehem, an' Rachel 'ad anutha son wot thay called Benjamin. But Rachel died afower thay rayched Bethlehem an' thay berrid 'er on the way the'er an' Jacob purr a stoon pillar on 'er grairve, wich iz still the'er ter this day. Jacob then went on tew Heron we'er 'iz fairther lived. Th' ode mon thort 'e wuz gunna die afower Jacob left wum twenty 'ear agoo, but sumow or uther 'ee'd manijid ter keep gooin'.

Wen Isaac wuz 'undrud an' aytee 'ear ode 'e died, an' Esau an' Jacob berrid 'im in the sairm cairve we'er Abraham an' Sarah wuz berrid.

Esau tuk 'iz wives an' cattle ter live in anutha country, cuz 'im an' Jacob 'ad got that menny cattle the'er wor anuff fewd forrum all in Canaan.

GENESIS

(Chapters 37—41)

JACOB 'ad twelve sons. Benjamin wuz the yungist an' Joseph wuz nex' ter the yungist. Wen Joseph wuz seventeen 'ear ode 'e sumtimes went inter the fields t' 'elp 'iz bruthers fayd their fairthu'z flocks. 'Iz bruthers wuz a chaykey lot an' did wickid things. Joseph yewster goo wum an' tell 'iz fairther all abahrr um.

Jacob luvved Joseph mower than enny on 'iz uther kids cuz Joseph alliz did az 'e wuz tode. Jacob med Joseph a luvvly coot wi' a gud menny culluz in it an' it wuz nicer than the coots 'iz bruthers 'ad got. 'Iz bruthers day like Joseph cuz thay cud see uz their fairther fairvud 'im.

One nite, Joseph 'ad a draym, an' draymed az 'im an' 'iz bruthers wuz bindin' shayves o' corn in the field. Joseph's shayf stud strairt an' all 'iz bruther's shayves bahed dahn tew it. 'E tode 'iz bruthers abaht 'iz draym an' thay thort it ment az thay'd gorra bah dahn ter Joseph an' sed az thay wor gooin' tew.

Then Joseph 'ad anutha draym an' draymed that the sun, mewn, an illevun stars all bahed dahn tew 'im. 'E tode 'iz fairther an' bruthers abaht the draym. Thay thort th' illevun stars ment 'iz bruthers an' the sun an' mewn ment their muther an' fairther, an' naira one on um wuz very playzed abaht it.

Joseph's bruthers went tew a plairse called Shechem, wich wuz a lung way off frum Hebron, ter fayd their faither's flocks. Thay'd bin the'er a gud wile an' their fairtha gorra bit cunsairned abahrr um soo 'e asked Joseph ter goo an' see if evvrythin' wuz alrite. Joseph got ter Shechem an' wile 'e wuz lukkin' forrum 'e sid a bloke oo tode 'im thay'd gon tew a plairse called Dothan, soo Joseph went ter Dothan aftarr um.

Thay sid Joseph cummin' an' sed, " 'Ere cums the draymer—let's kill 'im an' chuck 'im in a pit."

Reuben, one o' the bruthers, pusswaydid um not ter kill 'im, but lerrum chuck 'im in a pit. Then Reuben went a walk by 'izself an' thort 'ee'd goo an' rescew Joseph wen 'iz bruthers 'ad gon.

Wile the bruthers wuz aytin' their dinna sum blokes called Ishmaelites cum alung wi' their camuls. Thay wuz carryin' things ter goo an' sell in Egypt. Judah, one o' the bruthers sed, "Let we goo an' 'awl ahr kid ahta that pit an' sell 'im ter theez blokes."

Thay all thort it wuz a gud idea, soo thay guz an' 'awls 'im aht an' sode 'im fer twenty paysis o' silver an' th' Ishmaelites tuk 'im wi' um t' Egypt. Wen the bruthers 'ad gon, Reuben went back ter the pit an' wen 'e cudn't find Joseph 'e gorr all wairked up abahrr it an' went an' tode 'iz bruthers az Joseph wor the'er we'er thay'd chukked 'im.

The bruthers 'ad tuk Joseph's coot off 'im an' thay went an' killed a kid frum one o' the flocks an' dipped the coot in the kid's blud. Thay tuk the coot wum an' showed it ter their fairther an' Jacob thort a wild bayst must a killed Joseph. 'E wor 'arf upset an' went an' ripped 'iz oon cloos up, cuz 'e thort Joseph 'ad bin tor in paysis. 'E purra sackcloth on, wot thay did in them days ter show thay wuz in trubbul.

Nowbody cud pusswaird Jacob ter stop mitherin' abaht Joseph an' 'e tode um az 'ee'd goo on mitherin' til 'e wuz in 'iz grairve.

Th' Ishmaelites tuk Joseph t' Egypt we'er the king wuz nairmed Pharoah. The'er wuz offissa nairmed Potipher in Pharoah's armee an' Potipher bort Joseph furr 'iz sairvunt. Potipher liked Joseph an' God blessed Potipher cuz Joseph wuz wi' 'im. Enny rode up, Potipher's missis day like Joseph an' tode 'er 'uzbund az Joseph wuz a wickid mon, soo Potipher tuk Joseph 'an shuvved 'im in prizun.

God wuz kind ter Joseph an' med the kayper o' the prizun 'iz frend, an' the kayper put Joseph in charj ov all th' uther priznuz.

Tew o' king Pharoah's sairvunts affendid 'im — one wuz the chayfe bairker an' th'uther wuz the chayfe butler, soo 'e chukked um bewth in prizun. Wile thay wuz in prizun thay bewth 'ad a draym on the sairm nite an' tode Joseph abaht their drayms the nex' mornin'. The butler sed 'e sid a vine wi' three branchiz on it. Wile 'e wuz gawpin' arr it sum buds cum on the branchiz an' tairned intew a bunch a' grairpes.

Joseph intairpritid the draym forrim an' tode 'im the branchiz ment three days, an' wi'in three days Pharoah ud cum an' rillayse 'im frum prizun. Joseph asked the butler ter rememba 'im wen 'e gorr aht an' t' ask Pharoah if 'e cud cum aht o' prizun an' all. 'E tode the butler tharr 'ee'd bin stole frum Canaan we'er th' Hebrews lived an' 'adn't dun nuthin' ter dizairve bein' in prizun.

The bairker sid that the butler's draym ment summut gud, soo 'e waantid 'iz draym intairpritid. 'E sed 'e wuz carryin' three baskits on 'iz yed, one on top o' th' uther. In th' 'ighist baskit wuz sum cukked mayte fer Pharoah an' the bairds flew dahn an' et the lorr on it. Joseph tode the bairker tharr 'iz draym ment the three baskits alsoo ment three days, an' wi' in three days Pharoah ud cum an' gerr 'im aht o' prizun an' 'ang 'im on a tree an' the bairds ud cum an' ate the flesh on 'im.

Joseph's intairpritairshuns o' the draymms cum trew, but the chayfe butler fergorr all abaht Joseph wen 'ee'd gorr aht.

Wen Joseph 'ad bin in prizun fer tew 'ear, Pharoah 'ad a draym. 'E thort 'e wuz standin' by a rivva in Egypt an' sid sevun cows gerr aht the wairter. Thay wuz all fat cows an' went tew a medder t' ate grass. Then anuther seven cows gorr aht the wairter an' theez wuz thin uns an' lukked 'arf starved ter jeth, an' theez thin cows went ter the medder an' et the fat cows.

'E woke up, then went back ter slaype agen an' 'ad anutha draym. 'E thort 'e sid sevun ears o' corn growin' on one stalk; thay wuz all gud an' filled wi' grairn. Then sevun bad ears o' corn cum wi' no grairn in um at all, an' theez bad ears went an' et the gud uns.

Pharoah wuz mithered abaht theez drayms uv 'iz'n, soo the nex' mornin' 'e sent fer all the wize men uv Egypt ter cum an' intairprit 'iz drayms, but non on um cud. Then the chayfe butler suddinly remembud abaht Joseph an' tode Pharoah 'ow Joseph 'ad intairpritid the bairker's draym an' 'iz'n, an' thay'd bewth cum trew. Pharoah sent fer Joseph an' asked 'im if 'e cud intairprit 'iz drayms.

Joseph tode Pharoah az bewth drayms ment the sairm thing. The sevun fat cows an' the sevun gud ears o' corn ment sevun 'ear o' time, an' th' 'ungry cows an' bad ears o' corn ment anutha sevun 'ear. It ment the'er wud be sevun 'ear in Egypt wen the corn ud grow well an' evvrybody ud a plenty t' ate, burr afta that the'er wud be sevun bad 'ear wen the'er wud be a fammin. Joseph advized Pharoah ter luk fer sum wize men wot cud attend ter the corn an' sairve alorr on it dooerin' the sevun gud 'ear, soo that wen the bad sevun 'ear cum thay'd a' plenty ter be gooin' on wi' an' nobody ud starve ter jeth.

Pharoah sed, "Well — yowm the wiyzizt mon in Egypt an' arm gunna gi' yow the job o' lukkin' afta the corn."

Joseph day arrer goo back ter prizun an' Pharoah med 'im a grairt mon. 'E gid 'im a ring off 'iz finga an' sum posh cloos ter wair an' med 'im ride in a charryut nex' ter the king's charryut, an' az 'e rode alung the fowks bahed tew 'im, an' Pharoah med 'im rewler uv Egypt.

Joseph wuz thairty 'ear ode be this time an' gorr 'izself a missis nairmed Asenath. 'E went all oover Egypt attendin' ter sairvin' up the corn an' purr it away in stooer 'owziz, an' 'e day 'arf sairve a gud lot.

Joseph 'ad tew sons, one nairmed Manesseh an' th' uther wuz nairmed Ephraim.

The seven gud 'ears endid an' the sevun bad 'ear cum. The fammin cum t' uther lands bisides Egypt, but thay'd got plenty t' ate in Egypt cuz o' Joseph sairvin' ser much. Peeple cum frum uther lands beggin' Pharoah ter let um a' sum corn soo thay cud mek sum bred. Pharoah tode um all ter goo ter Joseph, an' fowks cum frum fare an' wide ter buy sum.

GENESIS

(Chapters 42—45)

JOSEPH'S bruthers wuz all marrid an' thay all still lived in Canaan. Thay'd never fun aht worr 'ad becum on 'im since thay'd sode 'im ter th' Ishmaelites—thay thort 'e wuz jed. The fammin cum in Canaan an' non o' Joseph's famlee 'ad gorr ennythin' t' ate.

Israel — that's the noo nairme God 'ad gid ter Jacob, 'ad 'eerd the'er wuz plenty o' corn in Egypt an' asked 'iz sons ter goo the'er an' get sum. Ten on um went, an' Benjamin stopped a' wum wi' 'iz fairther.

Joseph o' course wuz the gaffer uv Egypt, an' it wuz 'im wot sode the corn. 'Iz bruthers went tew 'im an' bahd dahn afower 'im.

Joseph knowed oo thay woz the minnit 'e sid um, but pritendid 'e day. 'E asked um all alorro kweschunz an' Joseph tode um 'e thort thay wuz spiys. Thay tode Joseph thay'd gorr owd fairther an' a yunga bruther a' wum an' thay yewse t' ave anuther bruther nairmed Joseph wot wuz jed. Joseph kep' on coddin' um an' tode um 'ee'd bileev um if thay went wum an' fetched this yung bruther thay wuz serpowzed t' ave, an' one o' the bruthers 'ad gorra stop the'er till thay cum back. Soo Simeon arrer stop the'er in prizun wile th' uthers went wum ter fetch Benjamin.

Joseph tode 'iz sairvunts ter fill the bruther's sacks wi' corn an' shuv their munee back in the sacks an' all. Thay got wum an' tode their fairther th' ole story an' owpund their sacks. Wen thay fun all their munee in the sacks thay wuz all frit.

Israel thort the'er wuz summat fishy gooin' on.

Enny rode up, thay'd gorra tek Benjamin back wi' um an' their fairther day reely waant 'im ter goo. Israel gid um a prez'nt ter tek ter the nice mon in charj o' the corn. Thay got back t' Egypt wi' Benjamin an' wen Joseph sid 'im 'e almoost blartid, burr 'e still day lerr on.

Joseph liked Benjamin berra than enny on 'iz uther bruthers. All the bruthers 'ad the sairm fairther, but Joseph an' Benjamin wuz th' onny tew wi' the sairm muther, an' that wuz Rachel.

Thay tode Joseph's sairvunt abaht their munee bein' in the corn burr 'e day seem ter be bothud abahrr it. Joseph asked um all ter dinna. 'E sat by 'izself an' the bruthers sat arr anuther tairble an' wuz tode we'er ter sit.

It wuz yewshewul fer th' owdist t' a' the fust sayt un the nex' owdist t' a' the nex' sayt un thay wuz all plairsed accordin' ter their airjiz. Thay cudn't mek aht 'ow ennybody cud a' knowed 'ow ter plairse um like this.

Joseph tode 'iz sairvunt ter gi' the men az much corn az thay cud carry an' shuv their munee back in their sacks agen, an' this time 'e tode 'im ter purr 'iz silver cup in Benjamin's sack.

Wen thay wuz on their way back wum, Joseph sent 'iz sairvunt afta um an' tode 'im ter goo an' accyewze um o' pinchin' the cup an' sairch all the sacks. The one tharr 'ad got the cup 'ad gorra goo back an' be Joseph's sairvunt.

The sairvunt lukked in all their sacks startin' wi' th' owdist bruther an' wen at last 'e got ter Benjamin's sack an' fun the cup the'er the bruthers cudn't bileev their oon eyes. Thay darena goo back wum wi' aht Benjamin, soo thay all went back ter Joseph's plairse.

Joseph went on coddin' um a bit lunger an' then at last 'e tode um oo 'e woz. A lorro blartin' an' rijiysin' went on all at the sairm time.

Pharoah wuz playzed t' 'ear Joseph's bruthers ud cum. 'E tode Joseph ter gi' um sum waggins ter goo back ter Canaan un fetch their fairther un all their wives un famliz. Joseph gid um anuff t' ate ter last um til thay got back t' Egypt agen. Wen thay got back wum un tode their fairther, Israel cudn't belieeve um at fust, but wen 'e sid all the waggins wot Pharoah 'ad sent ter fetch um all, 'e knowed it mus' be trew.

Israel thort it wuz wundaful an' day 'arf gerr icksiytid. 'E cudn't gerr off tew Egypt kwick annuff ter see 'iz son worr 'ee'd bin mitherin' abaht fer ser lung.

GENESIS

(Chapters 46—50)

ALL Joseph's famlee serr off on their jairney t' Egypt, an' tuk all their cattle wi' um. Wen Israel got ter Beer-sheba we'er Isaac 'iz fairther 'ad bilt altar menny 'ear afower 'e stopped an' offud a sacrifice ter God. God spoke t' Israel in the nite an' tode 'im not ter be affraird o' gooin' t' Egypt, an' 'iz dissendunts ud be a grairt nairshun.

Cahntin' Israel, 'iz sons, their missisis an' kids—the'er wuz already sevunty on um. Israel sent Judah, one uv 'iz sons, ter goo on in frunt ter tell Joseph thay wuz neerly the'er. Joseph gorr 'iz charryut aht an' went ter mayte 'iz fairther, an' wen thay met thay wuz bewth oovercum wi' jiy. Joseph intredewced 'iz famlee ter Pharoah, an' Pharoah lerr um goo an' live arr a plairse called Goshen, wich wuz the best plairse in Egypt fer faydin' cattle.

The fammin in Canaan an' Egypt continyewd, but Joseph 'ad still got plenty o' corn 'ogged up. Wen evvrybody 'ad run aht o' munee thay gid cattle ter Joseph in exchairnj fer corn. Wen thay'd got no cattle left thay startid ter gi' up their land. Joseph gid evvrythin' tharr 'e 'ad off evvrybody ter Pharoah.

Wen the seven 'ear o' fammin wuz up Joseph gid evvrybody sayds ter plant cuz 'e knowed the corn ud start growin' agen now. Pharoah let um all a' the land back wot thay'd sode an' tode um thay cud kayp it az lung az wen the corn growed agen thay'd gi' a fifth on it tew 'im.

Evvrybody wuz glad ter dew this cuz thay cudn't thank Joseph anuff fer sairvin' um frum starvairshun.

All Joseph's famlee went on livin' in Goshen an' wen thay'd bin the'er fer sevunteen 'ear Israel knowed az 'e wudn't las' much lunger an' med Joseph promiss that wen 'e wuz jed the famlee ud berry 'im back wum in Canaan.

Israel got wekker an' sent fer all the famlee. 'E tode um uz 'e wuz gunna die an' blessed um all, an' no sewner 'ee'd finished spaykin' 'e died. Joseph cummarndid 'iz sairvunts the fizishuns tew embarm 'iz fairther. The Egypshuns mourned forr 'im fer sevunty days.

Joseph, 'iz bruthers, Pharoah's sairvunts an' a gud menny mower fowks frum Egypt went wi' Israel's body ter berry 'im in the cairve worr Abraham 'ad bort off Ephron the Hittite.

Joseph's bruthers wuz frit on 'im afta the jeth o' their fairther; thay thort 'e mite punish um fer th' ayvil thay'd dun 'im, but Joseph 'ad promissid 'iz fairther afower 'e died tharr 'ee'd fergi' um.

Thay all went ter Joseph an' bahed dahn an' promissed 'im thay'd be 'iz sairvunts. Joseph evenchally becum a granfairther an' wuz 'undrud an' ten 'ear ode wen e' died.

'E'ed med 'iz bruthers promiss that wen God tode um uz it wuz time ter goo back ter Canaan thay'd tek 'iz body back wi' um, soo thay embarmed 'im an' purr 'im in a coffin in Egypt 'til the time cum fer um ter goo back wum.

EXODUS

(Chapters 1—7)

AFTA Joseph an' 'iz bruthers wuz all jed their dissendunts becum a grairt multichewd. The Egypshuns alliz called their kings "Pharoah" an' the'er wuz anuther un rewlin' Egypt, but this un 'ad never knowed Joseph. Wen 'e sid 'ow menny childrun uv Israel the'er woz 'e wuz frit on um.

'E thort that sum day wen 'iz ennimiz cum ter mek war aggin' 'im, theez chilrun uv Israel ud 'elp um an' then layve the land. 'E day waant um ter goo cuz 'e waantid um ter be 'iz slairves. This wickid king pusswairdid the Egypshuns ter trayt th' Israelites summat crewil. 'E appiyntid gaffers oover um an' thay med th' Israelites' lives a mizzury. The mower crewil th' Israelites wuz trayted, the mower the'er cum ter be on um.

Pharoah tode the midwives wot tuk care o' th' Israelites ter kill all the biyz the minnit thay wuz born. 'E sed the wenchis cud live cuz thay'd never be airble to fite aggin' 'im, but the midwives fayered God an' day dew uz thay wuz tode.

The'er wuz a mon amung th' Israelites nairmed Amaran un 'iz missis wuz nairmed Jochebed an' God gid um a son. 'E wuz a luvvly baby an' th' opple uv 'iz muther's eye, an' 'er wuz wurrid ter jeth in cairse Pharoah's sairvunts ud cum an' kill 'im. 'Er 'id 'im fer three munths afta 'e wuz born, but day think 'er'd be airble ter goo on 'idin' 'im much lunger. 'Er med a little ark aht o' sum rayds wot growed by the river an' dawbed pitch oover it ter kayp the wairter aht. 'Er put the babby in th' ark an' purr it amung the bushis at th' ej o' the river. The babbi'z sista wairted not fer away ter see if ennythin' 'app'nd tew 'im.

King Pharoah's dorter went dahn ter the river ter bairthe an' 'er 'ond maids walked alung the side o' the river; 'er sid th' ark wi' the babby in it an' asked one uv 'er maids ter goo an' gerr it. 'Er thort it wuz one o' th' Hebrew's babbiz an' sed, "Ay 'e luvvly? Ah think arl kayp 'im."

The babbiz sista run ter Pharoah's dorter an' asked if 'er shud fetch one o' th' Hebrew wimmin ter nuss the babby forrer, an' 'er sed, "Are — goo an' get one."

The little wench went an' fetched 'er muther an' Pharoah's dorter sed, "Goo an' nuss this babby fer me an' arl gi' yer yer wairjiz;" soo 'iz muther tuk 'im back wum. Sum time lairter Pharoah's dorter sent fer this little biy an' tuk 'im intew 'er oon 'owse ter be like 'er oon son, an' 'er called 'im Moses.

Wen Moses becum a mon 'e knowed 'e belunged ter th' Israelites an' waantid ter goo an' live wi' 'iz oon fowks. One day, 'e went ter the plairse we'er the Israelites wairked fer the Egypshuns an' sid un Egypshun cloutin' one o' th' Hebrews. Moses lukked rahnd an' cudn't see ennybody else abaht, soo 'e guz an' kills this Egypshun an' berrid 'im in the sond.

Moses bileeved that God 'ad sent 'im ter set the childrun uv Israel fray.

Anutha day 'e sid tew o' the childrun uv Israel fiytin' an' asked um why thay wuz scrappin'. One on um sed, "Ooz med yow rewler oover we? Ah sid yow kill th' Egypshun."

Moses got frit an' wundud 'ow menny uther fowks knowed.

Pharoah 'eerd abahrr it an' tried ter kill Moses, soo 'e tuk 'iz 'uk frum Egypt tew a land called Midian, we'er Pharoah wudn't find 'im. 'E sat by a well an' sum wimmin cum ter draw wairter fer their fairther's flock. The'er wuz sevun on um an' thay wuz sistaz.

Sum shepuds tried ter drive the wimmin off, but Moses went t' 'elp um an' manijid ter get sum wairter forrum. Wen thay got wum an' tode Jethro their fairther, 'e tode um ter goo an' fetch this mon an' gi 'im summat t' ate.

Moses lived at Jethro's 'owse a gud menny 'ear an' marrid one on 'iz dorters. Wile Moses wuz livin' in Midian, King Pharoah died, but the Egypshuns went on bein' crewil ter th' Israelites.

Moses tuk care o' Jethro's shayp an' led um aht inter the wilderniss ter find summat forrum t' ate, an' 'e cum tew a mahntin called Horeb.

God spoke ter Moses wile 'e wuz the'er. A fiyer cum up aht uv a bush an' Moses cud see that the bush wor bairnin' in spite o' the fiyer. God called ter Moses aht o' this bush sayin, "Mosiz - Mosiz."

Moses ansud, "Ere ah bin."

God tode 'im not ter cum tew near an' ter tek 'iz shews

off cuz 'e wuz standin' on 'oly grahnd.

God sed, "I am yer fairther's God, God uv Airbrum, Iyzuk un Jaircub."

Moses 'id 'iz fairse cuz 'e wuz frit. God tode 'im 'ee'd sid 'ow crewil th' Israelites wuz bein' trayted an' 'ad 'eer'd their cries an' wuz gunna serrum fray.

God cummarndid Moses ter goo an' ask the noo King Pharoah ter let the children uv Israel goo an' bring um back ter the mahntin, but Moses day waant ter goo.

Moses 'eld a rod in 'iz 'ond an' God sed, "Wot'n yer gorr in yer 'ond?"

Moses ansud, "A rod."

God sed, "Chuck it on the grahnd."

'E did az 'e wuz tode an' God chairnjed the rod intew a sairpunt.

Moses wuz frit, an' God sed, "Pick irr up by its tairl," wich Moses did, an' it chairnjed back tew a rod agen.

Then God tode Moses ter purr 'iz 'ond in 'iz buzum, an' wen 'e tuk irr aht 'iz 'ond wuz all wite an' cuvud wi' a terruble dizayze called leprussy.

God tode 'im ter purr 'iz 'ond back in 'iz buzum an' wen 'e fetched irr aht it wuz orrite agen.

Moses wuz gid the power ter pairform theez mirickles, soo that wen the childrun uv Israel sid 'im dew theez tricks thay'd bileev God 'ad sent 'im. Burr if thay still day bileev 'im afta 'ee'd showed um, God tode 'im ter goo an' get sum wairter aht the river an' power it on dry grahnd an' the wairter ud chairnj ter blud.

Moses still day waant ter goo an' God wuz gerrin' a birr anniyed wi' 'im. Moses 'ad gorra bruther nairmed Aaron oo cud spayke well afower a crahd, soo God tode Moses ter tek Aaron wi' 'im an' tell 'im wot ter say.

Moses tuk Jethro's flock back wum an' Jethro gid 'im pairmishun ter goo an' see 'iz rilairshuns in Egypt.

God cummarndid Aaron ter mayte Moses at Mahnt Horeb an' Moses tode Aaron wot God waantid um ter dew. Thay went t' Egypt an' pairformed the mirickles, an' the childrun uv Israel bileeved God 'ad sent Moses an' Aaron t' elp um aht uv Egypt. Thay went ter Pharoah an' tode 'im the Lord God 'ad sent um an' asked 'im ter let th' Israelites goo.

Pharoah sed 'e day know oo the Lord God woz an' 'e wor

gunna abbay 'im nor rillayse the childrun uv Israel. Pharoah wuz anniyed wi' Moses an' Aaron an' becuz on um 'e med th' Israelites wairk 'arder.

Moses went an' tode God, oo sed 'ee'd see worr 'e cud dew ter Pharoah ter mek 'im rillayse um all, burr in the mayntime Aaron 'ad gorra dew the trick wi' the rod wot chairnjed intew a sairpunt, afower Pharoah.

Moses an' Aaron went ter Pharoah an' Aaron chukked 'iz rod on the flooer an' it chairnjed intew a sairpunt. Pharoah called fer the majishuns uv Egypt an' thay all chukked their rods dahn, an' all the rods chairnjed intew sairpunts, cuz God let the majishuns dew worr Aaron 'ad dun. Then Aaron's rod swollud all th' uther rods, but Pharoah still wudn't let the childrun uv Israel goo.

God tode Moses an' Aaron ter stand by the river the nex' mornin' an' wen Pharoah cum by, ter tell 'im that God waantid the childrun uv Israel ter goo in the wildernss an' offer a sacrifice tew 'im.

Thay did az thay wuz tode, but Pharoah day waant ter lissun. Then God cummarndid Aaron ter tek 'iz rod an' swipe the wairter wi' it. Aaron did this an' the wairter chairnjed intew a river uv blud. All the fishis died an' nobody ud gorr enny wairter ter drink.

Pharoah went wum an' all the Egypshuns startid diggin' rahnd the river ter try an' find sum wairter. The blud stopped in the river fer a wik.

EXODUS

(Chapters 8—12)

GOD tode Moses ter tell Pharoah tharr if 'e day let the peeple goo, frogs ud cum all oover the land.

Pharoah thort Moses wuz acoddin' 'im.

Aaron wuz tode be God t' ode 'iz rod oover the wairters uv Egypt. Wen 'e did this thahzunds o' frogs jumped aht the wairter. Thay went evvryweer, in th' 'owziz, in th' uvuns, un in the truffs we'er the fowks wuz naydin' their bred. Thay went in Pharoah's 'owse an' gorr on 'iz bed. Thay day 'arf cauze alorro trubble an' evvrybody wuz sick ter jeth on um.

Pharoah sent fer Moses an' asked 'im ter pray ter God ter tek the frogs away an' 'ee'd let the peeple goo.

God did az Moses asked an' all the frogs died. The fowks gathud um an' purrum in aypes an' the'er wor 'arf a buzz frum their dikayin' boddiz.

Wen Pharoah sid all the frogs wuz jed 'e chairnjed 'iz mind abaht lerrin' the peeple goo.

God nex' cummarndid Aaron ter strike 'iz rod in the dust. Wen 'e did this the dust chairnjed inter lice. Thay crep' evvrywe'er, on the fowks, an' on the cattle an' evvrybody wuz gooin' saft scratchin' umselves.

The fowks tode Pharoah tharr it wuz God plairgin' um, burr it day mek any diffrunss, 'e went on bein' a cantankruss ode varmint.

Moses guz ter Pharoah agen an' tode 'im if 'e day let the peeple goo, swarms o' flies ud cum ter plairg um, an' thats worr 'appund. Flies gorr evvryweer you cud menshun excep' in Goshen, we'er the childrun uv Israel wuz still livin'.

Pharoah called Moses an' Aaron an' tode um if the flies wuz tuk away, 'ee'd lerrum offa sacrificiz ter God, but thay cudn't goo in the wilderniss ter dew it; thay'd gorra dew it in Egypt.

Moses thort the Egypshuns ud be affendid if thay sid um killin' animuls an' bairnin' um uz sacrificiz, cuz the Egypshuns wairshipped idols in the shairp uv animuls. Moses sed 'ee'd pray fer the flies ter goo, but the'er wud be mower trubble if Pharoah kep' on dissayvin' 'im. Wen all the flies 'ad gon

Pharoah loffed up 'iz slayve cuz 'ee'd got no intenshun o' lerrin' the peeple goo.

God tode Moses ter goo an' tell Pharoah tharr a grairt sickniss wuz gunna cum an' distriy the cattle. Wen the sickniss cum the cattle startid ter drap jed like nine pins, but the cattle belungin' th' Israelites wor affectid. Wi' all theez things 'appunin', Pharoah wuz gerrin' mower an' mower savij.

Moses an' Aaron wuz nex' cummarndid ter goo an' get sum ess frum a fairniss an' chuck it up in th' air, an' it ud cauze biyles ter cum on evvrybody an' on enny cattle wot wuz left. Wen this 'appund, evvrybody wuz in a tidy fettle, but Pharoah still day chairnj 'iz mind. Moses went agen ter Pharoah an' tode 'im az 'ayul storm wuz gunna cum the nex' day an' it ud kill ennybody or cattle wot wuz aht in it.

Sum Egypshuns 'ad startid ter fayer God be this time an' shuvved their cattle in barns an' went an' shut umselves in their 'owsis. Moses wi' 'iz rod in 'iz 'ond 'eld it up in th' air, an' God sent 'ayul, thunda un fiyer. It killed all the fowks an' cattle wot wuz aht in it an' spiylt evvrythin' wot wus growin,' but the storm day tuch Goshen.

Pharoah playdid wi' Moses ter mek the storm goo. 'E sed 'e rayalized worr a rotter 'e woz, an' wud let the peeple goo this time, but Moses wuz gerrin' yewster theez promissiz wot Pharoah never kep'.

Moses went aht inter the storm an' God kep' 'im from 'arm. Wen 'e gorr aht the sitty 'e liftid 'iz 'onds up an' sed a prair an' the storm stopped. Pharoah rimairned obstinut az yewshewul. Moses an' Aaron nex' thrett'nd Pharoah wi' a plairg o' lowcusts. The Egypshuns begged o' Pharoah ter let th' Israelites goo.

Pharoah sent fer Moses an' Aaron an' tode um all the men cud goo, but the wimmin, kids, an' cattle 'ad gorra stop the'er. The Lord tode Moses t' 'ode aht 'iz rod agen, an' a strung ayst wind cum bringin' milliuns o' lowcusts.

Thay et enny bits o' frewt un layves worr ud bin lef' be the storm. Pharoah sent fer Moses an' Aaron agen, an' asked um ter fergi 'im, an' pray fer the lowcusiz ter be tuk away.

A strung west wind cum tekkin' the lowcusiz wi' it, an' Pharoah still wudn't let th' Israelites goo.

God cummarndid Moses t' 'ode 'iz 'ond up, an' this time a grairt darkniss cum oover Egypt. It wuz that dark, noboddy cud see ennythin', burr it stopped lite in the wums o' th' Israelites.

Pharoah at las' dissidid 'ee'd 'ad a bairs'nful ov evvrythin' an' tode um thay cud all goo, but thay'd gorra layve their cattle. Moses tode 'im thay'd gorra tek the cattle cuz thay'd gorra mek bairnt offrinz ter God on the way back wum.

Moses then tode Pharoah abaht one last punishmint. 'E tode 'im tharr evvry owdist son belungin' the Egypshuns wuz all gunna die one o' the nites.

The Lord tode Moses un Aaron ter goo an' tell all th' Israelite men ter goo an' gerra shayp apayss, kayp it fer fower days, an' kill um all on the fowerth ayvnin'. Then thay'd gorra goo an' gerra bunch uv a plant called hyssop an' dip irr in the lamb's blud, an' goo an' put three daubs o' blud ahtside the dewers uv all th' Israelites' wums.

The jed lambs 'ad gorra be rowstid, an' thay'd all gorr 'ave a gud fayd, but thay'd gorra kayp their cloos an' shews on, an' stairves in their 'onds reddy ter goo. The Lord wuz gooin' threw the land that nite cauzin' the jeths uv all the Egypshuns owdist sons, burr 'e wuz gunna pass oover the wums wi' blud rahnd the dewer. The suppa that nite wuz ter be knowed as 'The Lord's Pass Oover.'

The Lord alsoo tode um that fer sevun days afta this suppa thay mus' onny ate unlevvn'd bred, maynin' it 'adn't gorr 'ave enny yayst in it.

Thay did as the Lord tode um, an' on the nite o' the fayst, the Lord sent 'iz distriyin' airnjul ter goo an' cauze the jeths uv th' owdist sons.

Evvrybody in Egypt wuz frit an' thay wuz all grizzlin' an' blartin,' an' at lung last Pharoah lerrum goo, cattle an' all.

The Egypshuns gid th' Israelites jewills, gode un silva, an' posh cloos, an' thay all left Egypt wi' grairt richiz.

EXODUS

(Chapters 13—24)

AFTA Pharoah 'ad let the childrun uv Israel goo, the Lord startid ter layd um twards Canaan. 'E day show um the shortist way cuz 'e day waant um ter cum up aggin' the Philistines in cairse the'er wuz a scrap. 'E tuk um twards the Red Say.

Thay tuk the jed boddy o' Joseph wi' um. As thay jairnid, the Lord went afower um in a clahd ter show um the way. The clahd wuz shairped like a pillar raychin up t' 'Evv'n. It wuz the culla uv a clahd in the day burr at nite it wuz the culla o' fiyer.

It wor lung afta thay'd lef' Egypt that Pharoah an' 'iz sairvunts wuz sorree thay'd gon, cuz thay'd got noboddy ter lairber furrum. Pharoah gorr 'iz 'ossiz un charryuts reddy an' tuk sum sowjuz an' went afta um.

Th' Israelites wuz campin' arr a plairse called Etham, by the Red Say. Wen thay sid Pharoah's armee acummin' thay wuz frit an' startid ter blairm Moses fer 'iz saftniss in tekkin' um the'er insted o' layvin' um in Egypt.

Wen Pharoah's armee copped um up the clahd chairnjed its plairse an' went bitween th' Israelites an' th' armee. The side o' the clahd on Pharoah's side wuz dark an' the sowjuz cudn't see. The clahd stopped brite on th' Israelites side an' lit their camp.

The Lord cummarndid Moses t' 'ode 'iz rod oover the say an' a strung wind cum an' blowed a path in the say soo thay cud walk on dry land t' th'uther side. The wairter wuz piled 'igh on aych side on um wile thay wuz gooin'.

Wen Pharoah sid thay'd gon the armee went afta um, but the Lord cauzed the wayls ter drap off their charryuts an' thay wuz frit an' dissidid ter tairn back. Afower thay cud get back God tode Moses t'ode 'iz 'ond oover the say, an' the wairter jiyned tergether agen an' drahned the lorron um.

Th' Israelites kep' gooin' fer anuther three days wi' aht enny wairter ter drink an' thay startid gerrin' on ter Moses. Thay cum tew a plairse called Marah we'er thay fun sum wairter, burr it tairstid birrer an thay cudn't drink it. Moses prayed, an' God showed 'im a tree an' tode 'im ter chuck it in the wairter, an' it med it swait an' thay wuz all airble t' 'ave a gud guzzle.

Wen thay gorr az fare az the dezut o' Sin thay wuz all 'ungree. God 'eerd um cumplarnin' un' tode 'um thay'd a' plenty t' ate the nex' day, soo 'e sent a lorro bairds called kwairls an' th' Israelites copped ote on um an' cukked um. Nex' mornin', the grahnd wuz cuvvud wi' little wite rahnd things wot tairstid like cairks med wi' 'unny.

God wudn't lerrum wairk on the Sabbuth day, soo 'e sent twice as much the day afower, an' thay called this noo fewd manna.

Thay went fairther on an' got tew a plairse called Rephidim an' the'er wor no wairter the'er soo thay startid playin' their fairsis agen. Moses sed anutha prair, an' thay gorr az fare az Horeb — the mahntin we'er Moses 'ad sid the fiyer bairnin' in that bush.

The Lord tode 'im ter goo an' swipe 'iz rod on a rock on the mahntin, an' az 'e struck it, wairter powerd aht.

Sum fowks called Amalekites cum alung an' startid a bost up with th' Israelites. Amung th' Israelites wuz a brairve mon nairmed Joshua an' Moses tode 'im ter goo an' gerra few blokes tergether an' 'ave a goo arr um.

Moses, Aaron, an' a bloke nairmed Hur went on top o' the bonk. Moses 'eld 'iz rod up an' the Israelites gid theez 'ere Amalekites such a thrairpin'. Wen Moses day 'ode the rod up o' the air th' Amalekites gorron top o' th' Israelites. Moses sed tharr 'iz arms wor 'arf airkin', soo Aaron an' Hur purr a stoon forr 'im ter sirr on an' thay bewth stud, one on um aych side o' Moses 'owdin' iz arms up till God gid th' Israelites the victree.

God wor verry playzed wi' theez 'ere Amalekites an' sed the time ud cum wen thay'd all be distriyed an' noboddy ud ever remembr 'um.

In the thaird munth o' their travvuls back wum, thay wuz campin' by a mahntin called Sinai. Moses went up the mahntin an' God tode 'im ter goo un rimiynd th' Israelites 'ow 'ee'd punished the Egypshuns fer their sairks an' az lung az thay abbayed 'iz cummarndmints 'ee'd luv um mower than ennybody else. God sed 'e wuz gunna cum dahn Mahnt

Sinai in a thick clahd, un spake soo tharr evvrybody cud 'ear 'iz viyse, but thay'd all gorra goo an' 'ave a waash an' smarten umselves up a bit fust.

On the thaird day thay'd gorra be reddy, an' if ennybody went on the mahntin thay'd be put ter jeth. Wen thay 'eard the sahnd uv a trumpit thay'd all gorra goo ter the furr 'o the mahntin.

The mornin' o' the thaird day cum, un it wuz thundrin' an' liytnin' an' the'er wuz a grairt thick clahd on Mahnt Sinai. Then they 'eard sumbody blowin' a trumpit, un it sahndid that lahd it med um goo all uv a ditha. On Mahnt Sinai, God gid um ten cummarndmints.

I

Yow share a' no uther Gods afower me.

II

Yow share mek enny grairv'n imij, nor bah dahn an' scrairp tew it.

III

Yow share tek the nairme o' the Lord yower God in vairn.

IV

Rimemba the Sabbuth day un kayp it 'oly.

V

'Onna yer fairther un yer muther.

VI

Yow share kill.

VII

Yow share cummit adultree.

VIII

Yow share stayl.

IX

Yow share bear false witniss aggin yer nairbuz.

X

Yow share cuvvit ennythin' wot belungs t' ennybody else.

Wen thay 'eard God's viyse thay wuz all frit, but Moses tode um that God wor gunna kill um, 'e onny waantid ter mek um fritt o' sinnin' aggin' 'im.

Moses went up the mahntin ter the dark clahd we'er Goa woz, an' God gid 'im sum mower laws fer the childrun uv Israel tew abbay. Moses cum dahn the mahntin un rit all theez laws in a buk an' red um ter th' Israelites, an' thay all promissed tew abbay all the wairds God 'ad spoke.

EXODUS

(Chapters 24—31)

GOD asked Moses ter goo up on Mahnt Sinai un 'ee'd gi' um sum tairbles o' stoon wi' the Ten Cummarndmints rit on um. Moses 'ad a sairvunt nairmed Joshua an' 'e went wi' 'im. A thick clahd cuvvud the mahntin fer six days, un on the sevunth day God called Moses inter this clahd an' 'e stopped the'er fer fowerty days an' fowerty nites. The childrun uv Israel sid the glowery o' the Lord on top o' the mahntin like a brite fiyer bairnin' the'er.

The Lord tode Moses tharr 'e waantid th' Israelites ter bild a tabbunackle we'er thay cud wairship. It ud gorra be med soo tharr it cud be tuk apart an' purr up agen, soo that thay cud carry it rahnd wi' um. A worl ad' gorra be med ter goo rahnd it un the spairce bitween the worl un tabbunackle 'ad gorra be called a cort. Thay'd gorra mek a wud chest called ark, cuvvud wi' gode.

A gode cuvva 'ad gorra be med fer th' ark wi' tew gode airnjuls on it — one arr aych end fairsun' aych uther wi' their wings spred aht, un this cuvva wuz ter be knowed as the mairsy sayte. A gode tairble un candlestick wuz ter be med ter goo inside the tabbunackle. The Lord sed tharr Aaron an' 'iz fower sons 'ad gorrer be praysts. Aaron wuz ter be the cheff un an' called th' 'igh prayst, an' thay'd all gorr 'ave speshul robes. Aaron wuz t' 'ave a miyter fer 'iz yed wi' a gode plairt at the frunt wi' "olyniss ter the Lord" rit on.

Blew, pairple un red artifishul pommygrannits, un gode bells wuz t' 'ang rahnd the borrum uv 'iz robes. 'E wuz ter wair a brest plairt on 'iz chest med aht o' cloth wi' imbriydree un twelve preshus stoones on it.

Aaron's sons 'ad gorrer 'ave sum robes, but norr az fancy uz their fairther's.

Tew altars wuz ter be med, a big brassen un an' a little gode un. The big brassen un wuz ter stand ahtside in the cort afower the dewer o' the tabbunackle, an' thay'd gorra bairn tew lambs a day on it, one in the mornin' an' one in th' evenin', fer the sins o' the peeple. The little gode un wuz ter goo inside the tabbunackle un 'ave incense bairnin' on it.

A grairt big brass bairs'n worr ud ode wairter 'ad gorra be plairsed ahtside the tabbunackle.

Wen the Lord 'ad finished tellin' Moses evvrythin', 'e gid 'im tew tairbles o' stoon wi' the Ten Cummarndmints rit on wi' 'iz oon 'ond.

EXODUS

(Chapters 32—40)

ALL the time God 'ad bin tellin' Moses worr 'ee'd gorra dew, th' Israelites wuz campin' at the furr o' the mahntin, an' thay wor 'arf gerrin' impairshunt, thay cudn't think worr 'ad becum on 'im.

Wile Moses wuz up the'er, thay fished aht sum o' their gode jewillree an' gid it t' Aaron. Aaron meltid it dahn un med idol in' the shairp uv a calf forrum ter wairship.

Moses an' Joshua cum dahn the mahntin an' Moses wuz carryin' theez tew tairbles o' stoon. Wen thay got near the camp, thay 'eer'd all this loffin' an' gairmin' an' sid th' Israelites dancin' afower this calf. Moses fewmed wi' rairj an' chucked th' tairbles o' stoon on the grahnd an' thay broke in paysis.

Moses day 'arf carry on at Aaron an' copped ote o' this gode calf an' bairnt it an' then grahnd it inter dust. 'E sprinkled the dust in wairter an' med um all drink it.

Moses stud at the gairt o' the camp an' asked fer all the blokes wot wuz on the Lord's side ter guttew 'im. All the blokes wot wuz the dissendunts o' Levi — one o' Joseph's bruthers, went tew 'im.

Moses tode um the Lord waantid um ter goo an' get their swords an' goo an' slay evvry mon thay met. The Levites did az Moses asked an' bitween um thay killed abaht three thahzand men belungin' the childrun uv Israel.

Moses prayed ter God an' asked 'im ter fergi um fer mekkin' an' wairshippin' idols.

The Lord promissed 'ee'd dew gud things fer the children uv Israel un drive the wickid nairshuns aht o' Canaan ter mek rewm forr um.

God tode Moses ter get sum mower tairbles o' stoon like the ones worr 'ad bin broke, soo 'e went up the mahntin on 'iz oon un 'acked tew chunks o' stoon aht o' the rock. The Lord talked wi' Moses agen an' tode 'im that wen thay got ter Canaan, not ter mek frends wi' ennybody, an' bost all their idols an' altars up.

Moses stopped anutha fowerty days an' nites on the mahntin wi' God an' day 'ave a thing t' ate or drink all the time. God rote the Ten Cummarndmints on theez tairbles o' stoon wot Moses tuk. Wen Moses got dahn frum the mahntin 'iz fairse wuz all brite an' shiynin'. It shon that much evvrybody wuz frit on 'im, soo 'e purra vairl oover 'iz fairse soo thay wudn't get dazzled.

'E tode um all the things God 'ad sed. The childrun uv Israel rummijed intew all their belungins an' gid Moses jewills, brairslits un gode earrings, an' the'er wuz sewn anuff uv evvrythin' ter start on the tabbunackle.

Moses gid their offrinz ter tew blokes nairmed Bezaleel an' Aholiah, cuz thay wuz dab 'onds at mekkin' ennythin' fancy.

Fust thay med the cairtins aht o' linnin' an' the rewf o' the tabbunacle wuz med wi' goats' skin dyed red. Thay med a cairtin called the vairl, worr 'ad gorra be 'ung inside the tabbunackle ter mek tew rewms. Bezaleel med th' ark un the mairsy sayte ter goo on top on it. Then 'e med the candlestick t' 'ode sevun iyle lamps.

Th' incense wuz med wi' gum frum a tree mixed wi' spices.

Thay med sum iyle ter power on Aaron's yed reddy fer wen 'e wuz anniyntid az 'igh prayst. Th' altars wuz med, un evenchally the tabbunackle wuz all serr up az God waantid it.

The pillar o' clahd that went afower the childrun uv Israel ter show um the way cum oover the top o' the tabbunackle an' cuvvud it, an' the glowery o' the Lord filled th' inside o' the tabbunackle.

LEVITICUS

(Chapters 1—19)

GOD went inter the tabbunackle in a clahd over the mairsy sayte an' called Moses, an' gid 'im sum noo laws fer the childrun uv Israel.

Moses brought Aaron an' 'iz sons ter the dewer o' the tabbunackle cuz 'ee'd gorra consicrairt um an' mek um praysts. 'E waashed um an' dressed um up in their robes an' anniyntid um be powerin' iyle on their yeds.

Aaron an' 'iz sons 'ad gorra stop at the tabbunackle ter bairn incense un offa sacrificis on be'arf o' the childrun uv Israel.

Afower this, uther blokes 'ad offud their oon sacrificis.

Az sewn az Aaron wuz med 'igh prayst 'e killed a lamb un purr it on th' altar fer the sins uv all the peeple, burr 'e day purra fiyer unda it. The Lord sent fiyer that bairnt the lamb, un wen the peeple sid it thay shahtid fer jiy cuz thay knowed az the Lord wuz playsed wi' their prayst un wi' their offrin'.

The praysts nevva let the fiyer goo aht afta, cuz God 'ad sent it the'er forrum, un thay called it saircrid fiyer.

Aaron an' 'iz sons wuz cummarndid t' offa tew lambs evvry day, one in the mornin' un the t' uther at nite fer the sins uv all the childrun uv Israel.

God tode Moses tharr if enny mon wuz sorry fer 'iz sins e' cud tek ox, or shayp, or goat ter the dewer o' the tabbunackle an purr 'iz 'onds on the bayst's yed purrin' 'iz sins away frum 'izself on ter th' animul. Then 'ee'd gorra kill th' animul un gi' it Aaron's sons ter bairn.

God sed 'ee'd be playsed wi' the mon's offrin' un ud fergi' 'iz sins, not cuz th' innersunt animal 'ad died forr 'im, it wuz cuz wen the Sairvyer cum on airth 'ee'd bair mon's sins un die fer them. Th' animuls wuz ment ter reprizent the Sairvyer an' show tharr 'e reelly woz gunna cum, an' this wuz th' onny rayzun God wuz playsed wi' animuls fer offrinz.

The'er wuz tew diffrunt kinds uv offrinz. If a mon tuk one cuz 'e ripentid uv 'iz sins un waantid ter be fergid, the prayst tuk the jed animul un bairnt it wull, un this wuz knowed az a bairnt offrin'.

If un offrin' wuz tuk cuz a mon wuz glad abaht summat, or prayin' fer God ter send 'im a blessin', the prayst tuk th' animul un onny bairnt part on it. The praysts kep' sum forr umselves t' ate, un gid sum on it back ter the bloke wot tuk it. This wuz knowed az a payse offrin'.

The bloke ud then goo wum wi' 'iz chunk o' payse offrin' un invite 'iz pals un pewer nairbuz fer a fayde, un irr ud gorra be finished up the sairm day or the day afta — 'e wor allahed ter kayp it enny lunger.

It wuz the jewty uv Aaron's sons ter bairn incense on the gode altar. The fiyer on the gode altar wuz lit be tekkin' saircrid fiyer frum the brass altar we'er thay bairnt offrinz.

One day, tew uv Aaron's sons nairmed Nadab un Abihu yewsed sum strainj fiyer ter bairn th' incense. God wuz angree wi' um un sent fiyer wot bairnt um bewth ter jeth. Moses called men ter carry their jed boddiz aht o' the tabbunackle an' aht o' the camp.

God cummarndid Moses an' Aaron an' 'iz tew sons wot

wuz still livvin' not ter rip their cloos up or show enny grayf fer Nadab un Abihu, cuz thay'd bin put ter jeth fer sinnin' agenst God.

The Lord tode Moses worr animuls, bairds un fishis the childrun uv Israel cud ate; 'e wudn't lerr um ate all kinds. Thay cud ate ox, deer, shayp un goats, but thay musn't ate camuls, rabbits, nor pigs.

Thay cud onny ate fish worr ud got fins un scairls on um — them wi' smewthe skins 'ad gorra be lef' aloon.

The bairds thay cud ate wuz duvs, pijins, un kwairls, but thay wuz ferbid t' ate aygles, rairvuns, owls un swons.

The things thay cud ate wuz called clayn animuls un them thay cudn't wuz unclayn.

God tode Moses an' Aaron that wen a mon ud gorra sooer on 'iz skin, 'ee'd gorra goo ter the prayst un lerr 'im 'ave a luk arr it un say if it wuz leprussy. If it woz, the mon 'ad gorra goo away frum the camp un live in a plairse by 'izself till 'e wuz berrer. Then the mon ud gorra goo back ter the prayst, ood 'ave anutha lu karr 'im un disside if 'e wuz well anuff ter cum back un live in the camp, burr 'ee'd gorra bring three lambs as offrinz ter God fer 'aylin' 'im.

If the bloke wor very well off 'e need onny tek one lamb wi' tew pijins or duvs. The rewm in the tabbunackle we'er Moses 'ad put the saircrid ark we'er God dwelt over the mairsy sayte wuz th' 'olyist part o' the tabbunackle un nobody but th' 'igh prayst cud goo the'er.

Aaron wor allahed ter goo very often neether — God sed 'e wud die if 'e did. 'E cud onny goo wunce evvry 'ear an' 'ee'd gorra be careful wen 'e went. 'Ee'd gorr 'ave a gud waash fust an wair a plairn dress o' puewer wite linnin, cuz 'ee'd gorra goo 'umbly dressed afower the Lord.

Afower gooin', 'ee'd gorra offa sacrificiz un tek the blud o' the sacrificiz inter this 'oly plairse un sprinkle it wi' 'iz finga afower the mairsy sayte un pray that the Lord ud fergi' 'im un all the peeple their sins.

The day Aaron went inter this 'oly plairse, the children uv Israel wuz cummarndid not ter dew enny wairk. Thay'd gorra rimemba all the sins wot thay'd cummittid un ripent on um, an' if ennybody day dew this God sed thay'd be punished. This moost sollum day evvry 'ear wuz called "The day ov attoonmint."

God sed wen the childrun uv Israel got ter Canaan thay cud goo in their feeulds un cut dahn the grairn ter stooer in their barns, but thay'd gorra layve a birr on it. Thay cud goo un gatha the grairps off the vines but thay'd gorra layve a few, soo that pewer fowks un strairnjuz worr 'ad got no feeulds or vinyards o' their oon cud a' wot wuz left.

God tode the childrun uv Israel thay mus' nevva stayle, dissayve aych uther or tell lies. If a mon cum an' did sum wairk forr um thay shudn't tell 'im ter wairt till the nex' day afower 'e wuz payed; thay'd gorra pay 'im the sairm day.

If ennybody wuz deff, thay 'adn't gorra say ennythin' 'orrable abaht um, un if ennybody wuz blind thay mus' nevva shuv things in 'iz rode. If ennybody knowed ennythin' ayvil abaht sumboddy it wor ter be ripaytid.

Thay 'adn't gorr 'ate the sight uv ennybody, but lairn ter luv aych uther, un if sumboddy did rung thay'd gorra riprewve 'im in a kind sort uv a way, soo tharr 'ee'd ripent on 'iz sin un not dew irr ennymower. If strairnjuz cum frum uther lands ter live amung um thay'd gorra be daysunt un trayt um uz if thay belunged um.

LEVITICUS

(Chapters 20—26)

TH' 'eath'n nairshuns amung we'er the childrun uv Israel wuz gooin' wairshipped idol nairmed Molech. It wuz med o' brass an' 'ad a fairse like a calf. It wuz big an' 'oller, soo tharr a fiyer cud be lit inside it.

Wen it wuz 'ottid up theez wickid peeple yewster put their little childrun intew its arms un thay wuz bairnt ter jeth. Wile thay wuz bein' bairnt the peeple banged on drums soo thay wudn't 'ear the babbiz scraymin' un blartin'. Thay bairnt their childrun ter playze th' idol, un called it "geein' their kids ter Molech."

God tode Moses tharr if enny mon amung th' Israelites gid 'iz kids ter Molech 'ee'd be put ter jeth. All the people shud goo un pelt 'im wi' stoones till 'e wuz jed. If thay lerr 'im goo wi'aht punishmint, pritendin' thay day know worr 'e'ed dun, God sed 'e'ed punish 'im 'izself.

The Lord cummarndid the childrun uv Israel ter kayp three faysts in 'onner on 'im evvry 'ear. The fust wuz the fayst o' the passoover, un thay mus' ate a lamb in the nite like thay did on the nite thay cum aht uv Egypt. Then thay mus' ate unlevvn'd bred fer sevun days afta. The wull wik wuz ter be called "The fayst o' the passoover."

Wile thay wuz kaypin' this fayst it ud mek um rimemba 'ow God 'ad punished Pharoah fer their sairks, un 'ad serr um fray wen Pharoah wuz ditairmind not ter lerrum goo.

Sevun wiks afta the passoover thay'd gorra kayp the fayst uv 'arvist. It ud onny gorra las' fer a day un 'ad gorra cum afta the grairn 'ad bin gathud inter the barns. The peeple 'ad gorra thank God fer sendin' rairn an' sun worr ud med their sayds grow, geein' um anuff fewd fer anutha 'ear. At this fayst thay'd gorra be glad un rijiyse.

At th' end o' th' 'ear wen all the grairn ud bin gathud in frum the feeulds, un all the frewt 'ad bin picked, thay'd gorra kayp the fayst o' the tabbunackle worrud gorra las' fer sevun days. The Lord sed thay shud cut branchiz frum the trees un mek tents aht on um. Thay mus' layve their 'owziz un live in theez tents fer a wik ter rimind um o' the time thay lived in tents jairneyin' threw the wilderniss ter Canaan. Arr all theez faysts, evvry mon amung the childrun uv Israel wuz ter goo ter the tabbunackle un tek offrin' ter the Lord.

God tode Moses t' ask the peeple ter bring olive-iyl fer the lamps 'angin' on the gode candlestick, an' evvry day Aaron 'an 'iz sons mus' trim the lamps an' lerrum bairn at nite in the tabbunackle.

God alsoo cummarndid Moses ter get sum fine flour un bairk twelve loaves o' bred un plairse um on the gode tairble in the tabbunackle. 'E'ed gorra purr um the'er on the Sabbuth day un layve um fer a wik till the nex' Sabbuth. The prayst ud gorra tek um away afta a wik un riplairse um wi' fresh loaves. This ud gorra be dun evvry wik, un Aaron an' 'iz sons cud ate the stairl bred. Thay cudn't tek it wum t' ate; irr ud gorra be et at the tabbunackle cuz it wuz 'oly bred. Theez twelve loaves wuz called show-bred.

At this time the'er wuz a mon in the camp ooz fairther wuz Egypshun, burr 'iz mutha wuz one o' the childrun uv Israel. 'E 'ad a bost up wi' one o' th' Israelites un startid blassfeemin' God's nairme. Th' Israelites copped ote on 'im un shuvved 'im in a plairse by 'izself un kep' 'im the'er till Moses tode um wot ter dew wi' 'im.

The Lord spoke ter Moses un tode 'im ter tek the mon aht o' the camp un lerr all the peeple stoon 'im. The Lord sed ennybody wot blassfemed 'iz nairme ud be put ter jeth; all the peeple shud chuck stoones arr 'im till 'e wuz jed.

Thay tuk this mon aht o' the camp un stooned 'im uz God ud cummarndid.

God sed that wen th' Israelites got ter Canaan thay mus' plant sayd in the feeulds un wen it ud growed, ter curr it dahn un tek it inter the barns. Thay'd gorra dew this fer six 'ear, but wen the sevunth 'ear cum, ter layve the land aloon un not plant enny sayd, un if ennythin' did 'app'n ter grow thay'd gorra lerr it stop.

Evvry sevunth 'ear 'ad gorra be called a Sabbuth 'ear, un 'ear o' rest fer the land. God promissed um tharr 'ee'd mek anuff grow th' 'ear afower ter las' um till the Sabbuth 'ear wuz oover.

Wunce in fifty 'ear wuz ter cum th' 'ear uv joobillee. This ud gorra be a glad un 'appy 'ear, un on the day it startid, trumpits wuz ter be blowed threwaht the land. No sowin' or raypin' wuz ter be dun this 'ear, un God promissed 'ee'd send anuff ter las' threw joobillee 'ear. If enny mon 'adn't got tew 'airpinz ter rub tergether un 'ad bin forced ter sell a feeuld 'iz fairther 'ad lef' 'im, wen th' 'ear uv joobillee cum, ooevva 'ad bort the land off 'im 'ad gorra gi' it 'im back.

Enny pewer mon amung the childrun uv Israel wot 'ad bin sode ter be a sairvunt or slairve 'ad gorra be set fray this patikla 'ear. God promissed the peeple tharr if thay abbayed 'iz cummarndmints 'ee'd send rairn on their land. The grairn ud grow well un the'er'd be plenty o' frewt. Thay'd a' plenty t' ate un noboddy ud 'airt um.

The Lord ud distriy or drive aht o' Canaan enny wild

bayst wot mite 'arm um.

God 'izself ud tek care on um un mek their ennimiz frit ter jeth on um.

God sed if thay day abbay 'iz cummarndmints thay'd a' sickniss un trubble. If thay sowed grairn un it growed it wudn't dew um enny gud cuz their ennimiz ud cum un pinch it. Wild baysts ud carry their childrun off un kill all their cattle, un the'er'd onny be a few fowks lef' ter tell the tairl. Their ennimiz ud gi' um a thrairpin' un cart um off tew uther lands we'er evrybody ud 'ate the site on um, un menny on um ud perish.

If enny on um wuz lef' un thay cunfessed ter God 'ow wickid thay'd bin, 'ee'd punish um no mower. 'Ee'd fergi' um un tek um back ter the land 'ee'd promissed Abraham, Isaac un Jacob tharr 'ee'd gi' um.

NUMBERS

(Chapters 1—12)

IT wuz abuv 'ear since the childrun uv Israel 'ad lef' Egypt un thay wuz still campin' at Mahnt Sinai, un the time wuz gerrin' near forrum ter layve. Theez childrun uv Israel wuz dividid inter cumpaniz or tribes. The'er wuz thairteen o' theez tribes, un aych tribe wuz dissendid frum Jacob or Joseph.

The nairms o' theez tribes wuz Reuben, Simeon, Levi, Judah, Zebulun, Issachar, Dan, Gad, Asher, Naphtali, Ephraim, Manasseh un Benjamin.

Az thay'd atter fite ennimiz gooin' ter Canaan, the Lord cummarndid Moses un Aaron ter cahnt the men in the diffrunt tribes wot ud be airble ter be sowjuz un gurra war. Thay fun the'er wuz six 'undrud un three thahsund, five 'undrud un fifty on um. The men in the tribe o' Levi wor cahntid wi' this lot cuz thay'd gorra stop near the tabbun-ackle un tek care on it. The Levites ud gorra tek the tabbunackle ter paysis un carry it, un serr it up agen we'er ever thay camped on their way ter Canaan. Becuz the tabbunackle un evvrythin' in it wuz 'oly, noboddy excep' the praysts un the Levites wuz allahed ter tuch ennythin'. Th' uther tribes cud onny goo ter wairship or tek sacrificiz.

God sed the Levites ud a plenty o' wairk ter dew lukkin' afta the tabbunackle. Wood ud gorra be chopped ter kayp the fiyer gooin' wen thay bairnt offrinz. Wairter wuz ter be fetched fer Aaron un 'iz sons ter waash their 'onds un fayt afower thay went inter the tabbunackle t' offa sacrificiz. Th' ess 'ad gorra be tuk away frum th' altar, un the court 'ad gorra be kep' clayn, layvin' no draps o' blud ennyweer. The Levites 'ad gorra dew this cuz it ud a' bin tew much fer the praysts to dew. Aaron belunged ter the tribe of Levi 'izself, un altergether the'er wuz eight thahsand, five 'undrud un eighty Levites.

Aych o' th' uther tribes 'ad a prince, un theez twelve princis got tergether un tuk sum prezunts ter the tabbunackle. Thay tuk six cuvvud waggins wi' twelve oxis ter draw um. Thay alsoo tuk dishis, bowls, un spewns med o' silva un gode ter be yewsed at the tabbunackle.

Moses gid the waggins un oxis ter the Levites ter carry paysis o' the tabbunackle. Tew waggins wuz ter carry th' 'evvy cairtins, un th' uther fower 'ad gorra carry the booerds cuvvud wi' gode wot med the sides o' the tabbunackle, un the brass pillars wot stud rahnd the court. The Levites ud gorra carry the saircrid ark, th' altar, the tairble, the gode candlestick un the brass altar on their showduz.

Since Moses ud serr up the tabbunackle, the pillar o' clahd, wot wuz like a clahd in the day un the culla o' fiyer at nite, 'ad stopped over it. Th' Israelites knowed uz wen it shiftid thay'd gorra foller it.

God tode Moses ter mek tew silva trumpits un wen the clahd rose up o' th' air wetha it wuz day or nite, the praysts wuz ter blow the trumpits ter gerr all the peeple tergether reddy ter goo. Thay med sum banners ter carry, cuz thay marched like armee.

Aych tribe kep' its oon plairse un aych one 'ad a captin for its yed mon. The time 'ad cum ter layve Mahnt Sinai. The clahd rose un mewved on afower um, un thay follered it fer three days, till thay got ter the wilderniss uv Paran we'er it stopped, soo thay med their camp. Thay 'adn't 'ad much *t'* ate jewerin' theez three days. Thay kep' on gathrin' manna un bairkin' it ter mek cairks, but thay waantid sum mayte t' ate.

Wen Moses 'eerd um all chuntrin', 'e got that fed up wi' um all, un felt it wuz gerrin' a bit tew much forr 'im ter tek care on um all.

Moses spoke ter God un sed, "Ah mite as well be jed. Ah'm sick o' 'earin' um ballyairkin' all the wile."

God tode Moses 'e wuz sinnin' fer spaykin' like that; 'ee'd alliz bin 'elped afower un cud be 'elped agen if onny 'ee'd purr 'iz trust in 'im. God then tode Moses that th' Israelites wuz gun 'ave anuff mayte ter last a munth un thay cud ate it til thay wuz sick on it. Moses asked if thay'd gorra kill the cattle ter gerr all this mayte.

The Lord ansud, "Me 'ond ay growed that wek tharr ah cor dew it. Yow wairt un see if worr on tode yer dow cum trew."

Moses tode the peeple wot the Lord 'ad sed.

God sent a strung wind wot brort kwairls frum the say, un thay drapped all rahnd the camp. The'er wuz that menny, the grahnd wuz cuvvud wi' um. The peeple went aht un gathud um, but wen thay startid t' ate um, the Lord sent a grairt plairg amung theez peeple un menny on um died fer their sin un atter be berrid the'er in the wilderniss.

The clahd liftid up agen un thay follered it till it stopped arr a plairse called Hazeroth, we'er thay serr up their camp agen.

Altho' God 'ad chose Moses ter be the cheff bloke amung the childrun uv Israel, 'e wuz reely a very mayk un mild mon. Aaron 'iz bruther, un Miriam 'iz sister, yewster find fault wi' 'im cuz 'ee'd marrid a wench wot wor one o' the childrun uv Israel. Thay alsoo sed that God 'ad spoke ter them, un thort thay'd gorr az much rite ter rewle the peeple az 'e 'ad.

God 'eerd wot Aaron un Miriam sed un ordud um ter goo wi' Moses ter the tabbunackle. Wen thay got the'er the Lord cum dahn in a pillar o' clahd un stud by the dewer. 'E called Aaron un Miriam un thay went an' stud afower 'im. God tode um uz Moses wuz 'iz abeediunt sairvunt un asked um wot thay ment be gerrin' on tew 'im.

Then this pillar o' clahd we'er God woz rose up frum the

tabbunackle, un wen it ud gon Aaron lukked at Miriam un 'er wuz cuvvud wi' leprussy uz wite az snow. God 'ad sent it on 'er uz a punishment. Aaron wor 'arf mithered, un begged Moses t' ask God t' ayle 'er.

Moses prayed airnistly ter God, un God 'eerd 'im un ayled 'er.

Sewn afta this the peeple left Hazeroth.

NUMBERS

(Chapters 13—21)

THE childrun uv Israel got near ter Canaan un Moses tode um ter goo inter the land un tek it fer umselves az God 'ad sed thay shud. Thay day waant ter goo, un asked Moses ter send sum spiyes the'er fust ter find aht worr it wuz like.

Moses sent twelve men, one frum aych tribe, ter goo un weigh evvrythin' up, wether it wuz a gud or bad land, wot sort o' fowks lived the'er, wether thay wuz wek or strung, if thay lived in tents, or in sittiz wi' worls rahnd um. Moses tode um not ter be frit un bring back sum o' the frewts o' the land.

The spiyes went inter Canaan un went threw it frum one end t' th' uther un the Lord kep' um frum 'arm. Arr a plairse called Eschol we'er grairps wuz growin', thay curr a branch off a vine wi' a single clussta o' graips on it. This clussta wuz that big thay 'ung irr on a pole un it tuk tew on um ter carry it between um. Thay alsoo picked sum pommygranits un figs.

Thay wuz fowerty days gooin' threw the land. Wen thay got back thay showed evvrybody wot thay'd got, un sed the grairn un vines growed well, un the'er wuz plenty t' ate un drink. Thay sed the sittiz 'ad 'igh worls rahnd um, un the fowks wot lived the'er wuz ever ser strung. Neely all the spiyes wuz frit un thay day waanter goo back, un thay day waant the childrun uv Israel ter goo neetha.

Tew o' the spiyes nairmed Caleb un Joshua waantid um all

ter goo, cuz thay knowed the Lord 'ad promissed ter gi' um Canaan un 'ad grairt fairth in 'im.

Caleb spoke up un begged on um all ter goo, but th' uther ten spiyes pusswaydid um not ter goo, un sed all the fowks wot livved the'er wuz jiyunts un the blokes wot Moses ud sent ter spy in Canaan wuz onny like grass 'oppuz be the side on um. The childrun uv Israel startid blartin' un chunterd at Moses un Aaron un sed thay wished az God 'ad lerr um die in Egypt.

Thay all got their yeds tergether un dissidid ter chewze anutha yed mon insted o' Moses un goo back t' Egypt.

Moses un Aaron wor 'arf upset, un Joshua un Caleb tode the fowks agen thut Canaan ud be a gud plairse ter live, but thay day bileeve um un waantid ter stoon the pair on um.

God wuz anniyed wi' the childrun uv Israel, un tode Moses tharr 'ee'd send a pestilunce ter distriy all on um, un ud no lunger 'ave um fer 'iz peeple, burr 'ee'd mek Moses' dissendunts a grairter nairshun than wot thay woz.

Moses spoke ter God un sed tharr if 'e distriyed all the fowks un not tek um ter Canaan like 'ee'd promissed, all th' 'eathen nairshuns ud get t' 'ear abahrr it, un say it wuz cuz the Lord wor airble ter dew worr 'ee'd promissed. Moses prayed that God wudn't distriy um un ud keep um fer 'iz peeple.

The Lord 'eerd Moses' prair un promissed not ter distriy um, but cuz thay'd dissabayed 'im soo off'n afta all the things 'ee'd dun forr um, 'e wor gunna lerrum gurrer Canaan rite away. Thay'd all gorrer tairn back un goo ter the wilderniss agen we'er thay'd arrer wander fer fowerty 'ear till all the men worr ud rifewsed ter gurrer Canaan wuz jed. Afta fowerty 'ear, wen all on um wuz jed, God sed 'ee'd tek their childrun back ter Canaan. 'E promissed that Caleb un Joshua cud live ter goo back wi' um.

Wen the childrun uv Israel 'eerd this, thay wor 'arf sorree. Thay all gorr up airly one mornin' un tode Moses that thay wuz willin' ter gurra Canaan, but Moses tode um not ter goo cuz the Lord wudn't 'elp um, un if thay went thay'd be killed be their ennamiz. Thay dissabbayed Moses un went ter Canaan, un the peeple wot lived the'er fort un chairsed um, soo thay went back ter their camp, and then went back inter the wilderniss agen.

Wile thay wuz in the wilderniss thay sid a mon wairkin', gathrin' sticks on the Sabbuth day, dissabbayin' the Lord's cummarndmint. Thay purr 'im in a plairse on 'iz oon till thay knowed wot God ud waant t' a' dun tew 'im fer 'iz sin. The Lord sed ter Moses, the mon shud be put ter jeth, un 'e shud be tuk aht the camp un stooned. The mon wuz stooned az God cummarndid.

Afta theez things, three men nairmed Korah, Dathan un Abiram, wi' tew 'undrud un fifty mower o' the men uv Israel, went ter Moses un Aaron un sed tharr Aaron day a' no rite ter be 'igh prayst un Moses shudn't be rewlin' the peeple. Korah wuz one o' the Levites wot wairtid on the praysts at the tabbanackle, burr 'e wor satisfied jus' dewin' this; 'e waantid to be a prayst 'izself.

Moses tode Korah, Dathan, un Abiram that the nex' day, aych on um shud tek a censer un goo un bairn incense like the praysts did, soo thay went wi' the tew 'undrud un fifty blokes un sprinkled incense on the fiyer at the tabbunackle. God wuz very anniyed wi' all theez blokes. Afta thay'd bairnt th' incense thay cum aht the tabbunackle un Moses spoke ter the rest o' the childrun uv Israel.

'E sed tharr if the grahnd owpund up un swollud theez men, the childrun uv Israel ud know thay'd affendid the Lord. No sewner 'ad Moses finished spaykin' wen the grahnd owpund un swollud um. The childrun uv Israel day 'arf gerr on ter Moses un Aaron.

Thay sed tharr all theez blokes wuz gud men un it wuz Moses un Aaron worr ud killed um. The Lord wuz tharr anniyed wi' all on um 'e tode Moses un Aaron ter shift away from um un 'ee'd distriy the lorron um. Moses un Aaron drapped dahn on their fairsis un prayed fer the childrun uv Israel, but the Lord day waant ter lissun, an wile thay wuz still the'er prayin', God sent a grairt pestilunce amung the peeple in the camp. Alorr on um wuz already dyin' wile Moses un Aaron wuz prayin'.

As sewn as Moses rayulized wot wuz 'appnin' 'e tode Aaron ter goo kwick un gerra censer un purr a fiyer in it frum th' altar o' bairnt offrinz un offa incense ter God fer the sairk o' the peeple neer we'er the plairg ud startid.

Aaron did az Moses sed un went amung the peeple, un stud wi' the barnin' incense bitween the jed un the livin,' un the Lord cauzed the plairg ter sayss.

Fowerteen thahzund un sevun 'undrud peeple died frum the plairg.

Afta this, the Lord cummarndid aych o' the tribes ter send Moses a rod, un tode Moses ter rite the nairme o' the bloke wot bort the rod on it, soo thay cud tell one frum t' uther. Then Moses ud gorra tek the rods ter the moost 'olyist plairse in the tabbunackle un layve um afower the saircrid ark all nite.

God sed that one o' theez rods ud grow in the nite, un blossums ud cum on it uz if it wuz a tree still growin', un the mon's nairme wot wuz fun rit on this rod ud be the one God 'ad choze ter be 'iz 'igh prayst.

Moses did uz God tode 'im, un the nex' day wen 'e went ter luk at the rods, one on um 'ad growed wi' blossums un gorr almunds on it. On this rod Aaron's nairme wuz rit.

Moses showed all the rods t' evvrybody un thay sid uz onny Aaron's 'ad growed. God tode Moses ter tek this patikla rod un purr it in the tabbunackle un kayp it the'er soo tharr evvrybody ud rimemba uz God 'ad chose Aaron fer 'iz 'igh prayst. God sed that wen Aaron un 'iz sons wuz jed, all Aaron's dissendunts 'ad gorra be praysts fer the childrun uv Israel.

'E alsoo sed tharr all th' uther tribes mus' gi' the praysts un the Levites a tenth part o' their grairn, frewt, cattle, un ennythin' else thay'd get, cuz wen thay got ter Canaan the praysts un Levites ud a' no feeulds like th' uthers.

Thay wudn't a' time ter wairk in the feelds un luk afta the tabbunackle propply an' all.

Then the childrun uv Israel jairnid on un got ter the dezzut o' Zin. Thay wor the'er lung wen Miriam, Moses' un Aaron's sister died, un 'er wuz berrid the'er.

The'er wor no wairter ut this dezzut un the peeple startid gerrin' on ter Moses un Aaron agen. The Lord tode Moses ter call evvrybody tew a rock wot wuz the'er un tek a rod in 'iz 'ond, un go wi' Aaron un spake ter the rock un wairter ud cum aht on it. Thay all went ter the rock un Moses sed ter the peeple, "Nairw lissun ter me, yo' rebels; we'en gunna fetch wairter aht this rock!"

'E liftid up 'iz 'ond un swiped the rock twice wi' 'iz rod, un the wairter powered aht. The'er wuz anuff fer all on um an' the cattle.

God wor very playzed wi' Moses un Aaron, cuz thay'd med it luk as tho' thay'd prodewced this wairter umselves, wen it wuz reely God wot ud med it cum.

God sed thay shud uv 'onnud 'im afower all the peeple un Moses un Aaron shud a' med a piynt o' tellin' um all that God 'ad sent it, un tort um ter be thankful forr it.

God wuz ditairmind ter punish um sum rode or uther un sed thay cud all stop in the wilderniss fer fowerty 'ear un 'e wor gunna let Moses un Aaron gurrer Canaan, cuz thay'd bewth be jed be then.

The peeple jairnid un got neer t' Edom, the country we'er Esau went ter live mower than tew 'undrud 'ear agoo. Esau's dissendunts wuz still livvin' the'er.

The childrun uv Israel waantid ter pass threw Edom un Moses asked pumishun frum the king. 'E sent waird sayin', "We fairthers went dahn t' Egypt un we'en lived the'er fer a lung time. The Egypshuns traytid we un ower fairthers summut krewil. Wen we cried ter the Lord 'e 'eerd we un bort we aht o' that land. Nairw we'em askin' yer if we con pass threw yower land. We share tuch nuthin'. Weel kayp ter th' 'oss rode all the time we'em passin' threw."

The king uv Edom wudn't lerrum goo threw 'iz land, un went wi' 'iz armee ter goo un fite um.

The childrun uv Israel tairned un went anutha rode. Thay gorr az fare az Mahnt Hor. The'er, the Lord spoke ter Moses un Aaron un sed it wuz abaht time tharr Aaron shud be gathud tew 'iz fairthers; wot ment tharr 'e shud die un be berrid like 'iz anssesstuz afower 'im.

The Lord tode Moses ter tek Aaron wi' 'iz eldist son Eleazer up Mahnt Hor, un tek th' 'igh prayst's garmints off Aaron un purr um on Eleazar, un Aaron ud die up the'er.

The peeple all waatched the three on um goo up the mahntin. Moses tuk Aaron's garmints off 'im un purr um on Eleazar un then Aaron died on top o' the mahntin we'er 'e wuz berrid un 'e wuz 'undrud un twenty-three 'ear ode.

Eleazar wuz nairw th' 'igh prayst un 'im un Moses cum dahn the mahntin tergether. Wen all the peeple knowed uz Aaron wuz jed thay mourned forr 'im fer thairty days.

The childrun uv Israel ud still gorr a lung way ter goo, un thay wuz sick ter jeth uv 'avvin' no bred un wairter un sed thay 'aytid the site o' manna. This med God lewze 'iz temper un send fiyery sairpunts wot went un bit the peeple, un menny on um died.

The peeple cried ter Moses un sed, "We'en sinned; we'en spoke aggin' God un yow un all," un begged o' Moses ter pray fer the sairpunts ter be tuk away.

Moses prayed, un the Lord cummarndid 'im ter mek a sairpunt o' brass like them wot bit the peeple, un serr it up on a pole.

The Lord sed tharr ennybody wot wuz bit, if 'e wud luk at the brass sairpunt 'ee'd be med berra.

Moses med this brass sairpunt, un purr it rahnd a pole, un wen the fowks worr ud bin bit gairzed up arr it, thay wuz med well.

NUMBERS

(Chapters 22—35)

THE childrun uv Israel jairnid agen, un got ter the plairns o' Moab. Peeple called Moabites lived the'er, un the king wuz nairmed Balak. Wen Balak sid the childrun uv Israel 'e wuz frit, cuz 'e thort thay'd cum ter mek war aggin' 'im un the'er wuz tew menny on um fer 'iz sowjuz ter fite, soo 'e sent fer a mon nairmed Balaam ter cum un cairse um.

The king waantid sum grairt ayvil sent on the childrun uv Israel, un thort tharr if Balaam asked forr it, God ud send it, cuz Balaam pritendid t' a' power wi' God. The king sent waird ter Balaam sayin' 'ee'd gi' 'im silva un gode, un mek 'im rich un grairt if 'ee'd cum un cairse the childrun uv Israel.

Balaam luvved richiz, un althoo the childrun uv Israel ud dun 'im no 'arm 'e wuz willin' ter cairse um fer the rewards 'ee'd gerr at th' end on it. 'E gorr up airly one mornin' un purr a saddle on 'iz ass un serr off ter goo un try ter dew summat ter the childrun uv Israel.

God wuz angree wi' Balaam un sent airnjul wi' a sord drawed in 'iz 'ond ter stand in Balaam's way. Balaam cudn't see th' airnjul, but th' ass sid 'im un 'er tairned aht the way.

Balaam clahtid th' ass ter mek 'er goo back. Then th' airnjul went agen ter stand in Balaam's path. This path 'ad a wall aych side or it, un wen th' ass sid th' airnjul agen, 'er pressed 'erself up cloose ter the wall corzin' Balaam t' 'airt 'iz fut, soo 'e gid th' ass a gud 'iydin'. Th' airnjul went on fairther still un stud in a narrer plairse we'er nobody cud tairn rite nor left. Th' ass wuz frit, soo 'er drapped dahn on the grahnd under Balaam. Balaam wuz that savij wi' 'iz ass 'e gid 'er such a beltin' wi' the staff 'ee'd gorr in 'iz 'ond.

The Lord then med th' ass spake like a mon un 'er sed, "Wot'n ah dun ter yow ter dizairve three gud 'iydins?" Balaam sed it wuz cuz 'er'd dissabbayed 'im un tairned aht the way wen 'e waantid ter goo on, un sed tharr if 'ee'd gorr a sord in 'iz 'ond 'ee'd kill 'er. Th' ass spoke agen un sed, "Yow'n rode on me evva since ah belunged yer, an' yown nevva 'ad corze ter cumplairn afower, an yer?"

Then the Lord med Balaam see th' airnjul standin' afower 'im wi' a sord in 'iz 'ond. Balaam bahed dahn wi' 'iz fairse ter the grahnd.

Th' airnjul sed, "Why an yow wolluppt yower ass three times? Ahn cum aht aggin yer cuz yower way iz a wickid un. Th' ass sid me un tairned away. If it 'adn't bin fer 'er yowd a bin jed be nairw."

King Balak sent sum men ter goo wi' Balaam, un th' airnjul cummarndid Balaam ter goo wi' theez men burr onny ter say ter the king the things that th' airnjul wuz gunna tell 'im. Balaam went wi' the men, un wen the king 'eerd Balaam wuz neelly the'er 'e went aht ter grayt 'im.

The nex' day the king tuk Balaam up 'igh plairse we'er all the childrun uv Israel's camp cud be sid. Balaam tode the king ter bild sevun altars un get sevun bullucks un sevun rams t' offa az bairnt offrinz. The king did az Balaam instructid, un wen thay'd bairnt a bull un a ram on aych altar Balaam asked the king ter stop by the bairnt offrinz wile 'e went tew a plairse by 'izself ter see if the Lord ud spake wi' 'im un lerr 'im cairse the childrun uv Israel.

Balaam went away tew a plairse be 'izself, un the Lord

spoke wi' 'im. Balaam tode God abaht th' altars un th' animuls thay'd bairnt az offrinz, but God wudn't lerr 'im cairse the childrun uv Israel.

'E sent Balaam back ter the king un med 'im spayke gud things abaht th' Israelites. Then the king tuk Balaam tew anutha plairse on top uv a mahntin, un the'er 'e bilt sevun mower altars un bairnt sevun mower bullocks un rams.

Balaam thort that be bilding a lorr uv altars, un offrin' ser menny sacrificiz, 'e mite be airble ter pusswayd God ter lerr 'im cairse the peeple. God wor gunna be fewled be ennybody. No marrer 'ow Balaam tried, God wor gunna lerr 'im dew rung.

Then the king tuk Balaam up anutha mahntin called Peor, we'er thay bilt anuther sevun altars un bairnt sevun mower bullucks un rams, like thay 'ad afower, but the Lord onny med Balaam spake gud things abaht the childrun uv Israel. The king wor 'arf gerrin' anniyed wi' Balaam un sed, "Ah sent fer yow ter cum un cairse me ennamiz, un all yow'n dun iz bless um, not wunce — but three times, soo yow con tek yer 'uk un goo back wum."

Wen the Moabites fun aht that Balaam wor airble ter bring ayvil on th' Israelites, thay dissidid ter try anutha way t' 'arm um. Besides the Moabites the'er wuz sum peeple called Midianites livvin' in the land. Theez Midianites yewster 'ode faysts in 'onner o' their idols. Balak tode theez peeple t' invite the childrun uv Israel ter theez faysts. The childrun uv Israel went ter the faysts un bahed dahn afower idols. God wor 'arf angree wi' th' Israelites un punished um be sendin' a pestilunce wot killed thahsands on um.

Afta the childrun uv Israel ud bin wandrin' in the wilderniss fer fowerty 'ear, God giydid um near ter Canaan agen, un tode Moses un Eleazar ter cahnt the men wot cud be sowjuz ter gurrer war.

Wen Moses un Eleazar cahntid um, thay fun tharr all the blokes worr ud rifewsed ter gurra Canaan the fust time wuz jed excep' Caleb un Joshua.

God cummarndid Moses ter goo un fite the Midianites fer temptin' th' Israelites ter sin un wairship idols. Moses sent twelve thahzund blokes — a thahzund frum aych tribe.

The men uv Israel day 'arf gi' um a pairstin' un killed all their kings un Balaam un all. Wen God 'ad gid th' Israelites the victree thay tuk evvrythin' wot belunged ter the Midianites. The'er wuz sevunty-tew thahzund oxis, sixty-one thahzund assis, un six 'undrud un sevunty-five thahzund shayp. Thay alsoo set fiyer ter their sittiz un grairt big cassuls.

Afta the battle wuz oover, th' offisuz o' the childrun uv Israel went ter Moses un sed, "We'en cahntid the blokes wot went wi' we ter fite, un the'er ay one on um missin'."

Thay gid Moses the gode un jewils thay'd tuk off the Midianites un 'im un Eleazar tuk all this stuff ter the tabbun-ackle as offrin' ter the Lord. God giydid the peeple tew a land called Gilead wot wor fare away frum the river Jordan, un thay med their camp the'er. Canaan wuz oover th' uther side o' the river Jordan.

The tribes uv Reuben un Gad un 'arf the Manesseh tribe liked it at Gilead. Thay thort it wuz a bostin' plairse ter live un fayd their cattle, soo thay went un asked Moses if thay cud stop the'er insted o' gooin' ter Canaan. Moses ripliyed, "Am yow lot gunna lerr all yer rilairshuns goo un fite the wickid nairshuns in Canaan wile yow stop 'ere lollin' abaht in lukshurry?"

Thay sed thut thay'd bild 'owziz fer their famliz, un plairsis fer their cattle, burr all the men wuz willin' ter goo oover Jordan un 'elp their rilairshuns drive the nairshuns ahrr o' Canaan. Wen all the nairshuns 'ad bin shiftid aht thay sed their rilairshuns cud a' Canaan wi' plezyer, un thay'd cum back ter their wums on the t'uther side o' the river.

Moses spoke tew all the peeple un thay wuz satisfied wi' this arrairnjmint. The Lord spoke ter Moses un tode 'im tharr afta thay'd got shut uv all the nairshuns in Canaan, ter smosh th' idols un the plairsis we'er thay wairshiped um. Evvry mon amung the childrun uv Israel ud gorr 'ave a payse o' land gid 'im ter bild 'iz oon 'owse, un sow 'iz grairn un fayd 'iz cattle.

God sed tharr if thay day drive the wull lorr on um aht, them wot wuz left ud corze the childrun uv Israel ter sin un wairship idols un evenchally the Lord ud drive them aht.

God tode Moses abaht Canaan un 'ow big it woz. 'E nairmed the men worr ud gorra diviyd irr amung the peeple. The praysts un Levites 'adn't gorr 'ave enny land. God sed thay wuz ter be gid fowerty-eight sittiz we'er thay cud all 'ave a wum apayse ter live wi' their famliz.

DEUTERONOMY

WILE the childrun uv Israel wuz campin' near the river Jordan, Moses spoke tew um fer the las' time. 'E knowed 'ee'd gorra die un cudn't goo wi' um ter Canaan. 'E kep' on thinkin' tharr afta 'e wuz jed thay'd all fergerr abaht the things God 'ad spoke tew um abaht, un all the gud things 'ee'd dun forr um.

Moses rimiyndid um abaht the time thay wuz near Canaan afower, un cuz thay wudn't goo thay'd arrer purr up wi' alorr o' mizree traipsin' rahnd the wilderniss fer fowerty 'ear.

Thay wuz passin' be the land uv Bashan we'er the king wuz nairmed Og. This king wuz a jiyunt. The'er 'ad bin alorro jiyunts in them days, un Og wuz the las' one lef' in Bashan.

'E 'ad a grairt lung bedstid med uv iyun, un it wuz twice uz big uz ennybody elsis.

King Og went un fort th' Israelites, un God gid th' Israelites the victree. Thay tuk sixty sittiz frum 'im, wi' 'igh walls rahnd um wi' grait big gairts wi' iyun barz on um wot kep' ennamiz aht. The Lord gid um the land we'er the sittiz stud, un all the cattle wot belunged the peeple livvin' the'er.

Moses begged o' the Lord ter lerr 'im goo un see Canaan, but the Lord wudn't 'ear on it un tode 'im not ter spake abahrr it ennymower.

This wuz Moses' punishmint fer sinnin' ut the rock wen 'im un Aaron went ter get sum wairter fer the peeple. God did say tho', that Moses cud goo up on 'igh mahntin we'er 'ee'd be airble ter see Canaan frum fare away, burr 'e wor gunna lerr 'im cross Jordan un gurrew it.

Then Moses asked the Lord ter chewze a mon wot cud layde the fowks, cuz if the'er wor noboddy ter giyd um un tek care on um, 'e thort thay mite scatter un get lost like shayp wi' aht a shepud.

Moses tode all the peeple thut thay shud taych God's cummarndmints ter their childrun. Thay mus' talk abaht God uz off'n uz thay cud — it day marrer wetha thay wuz sittin' a' wum, gooin' a walk, gooin' ter bed at nite or gerrin' up in a mornin'. If thay talked abaht God un tode their kids 'ow gud un kind 'e woz, thay'd lairn tew abbay 'im az thay growed up.

God wuz geein' um Canaan wi' all its grairt un bewriful sittiz. Thay'd 'ave 'owziz thay 'adn't bilt un wells thay 'adn't dug. The'er'd be plenty o' grairn un frewt wot thay 'adn't plantid.

Thay'd gorra rimemba 'ow God ud led um threw the wilderniss un fed um wi' manna.

In the las' fowerty 'ear thay'd bin trairpsin' threw the wilderniss, non o' their clooz ud wor aht. In this berra land thay'd see strayms o' wairter runnin' threw feeulds, un springs o' wairter cummin' aht the grahnd in the valliz un on th' 'ills.

Thay'd 'ave anuff t' ate un drink un nevva waant fer ennythin'. Moses sed tharr unda the grahnd amung the rocks un in th' 'ills thay'd find iyun un brass un cud mek alorr o' yewsful things aht on it.

All the cattle ud grow bigger, un thay'd becum rich un 'ave alorr o' silva un gode. Thay mus' never be prahd un swank abahrr all the things wot thay'd 'ave; thay'd gorra rimemba thurr it wuz the Lord wot ud gid um evvrythin'. If evva thay fergorr abaht God un wairshipped idols or uther gods, thay'd be distriyed.

Moses went on ter tell um tharr it wudn't be lung afower thay'd be gooin' oover Jordan un the Lord ud goo afower um. 'E tode um not ter think that Canaan wuz gunna be like Egypt, cuz it wor. It day rairn much in Egypt, un the Egypshuns arrer riliy on wairter frum the river Nile wot flowed threw the land. Wunce evvry 'ear the Nile roze up 'igh un flowed oover the gardins un feeulds near it, but we'er the wairter day flow it corzed the peeple alorr uv 'ard wairk un trubble fetchin' un carryin' it.

In Canaan, rairn cum dahn un wairtud the land, worr ud sairve um alorr o' trubbul, un if thay lairnt ter luv God wi' all their 'earts the rairn ud be sent wen it wuz needid.

Moses tode um ter be shewer un bost up all their idols, un smosh the plairziz we'er thay wairshippt um. Wen thay'd dun all the smoshin' up worr ud gorra be dun, thay mus' serr up God's tabbunackle un tek offrinz ter the praysts ter bairn on th' altar.

Wen thay'd gorr oover Jordan un wuz gooin' threw Canaan, Moses tode um ter get sum grairt big stoons un cuvva um wi' plasta. Wile the plasta wuz still saft, thay mus' rite the laws o' God in this plasta. Wen the plasta serr un gorr 'ard, ennybody wot passed by ud be airble ter see God's laws rit. Moses sed tharr uz lung uz thay abbayed the Lord, 'ee'd mek um grairter thun enny utha nairshun. Their ennamiz ud be frit ter jeth on um, un all the nairshuns ud rayulize uz the childrun uv Israel wuz God's chowzun rairse.

Moses ud tode um abaht the gud un ayvil ways o' life un begged on um ter chewze the gud way. The Lord waantid the childrun uv Israel ter be'airve umselves wen thay'd settled dahn in Canaan.

'E tode um tharr if the'er wuz a pewer mon amung um thay'd gorra be kind tew 'im, un if 'e waantid ter borrer ennythin' from um ter lend 'im worrever 'e naydid, even tho' thay knowed 'e mite nevva be airble ter pay um back.

The Lord sed that if thay lent their belungins willinly, un worrever gud thay did tew utha fowks, 'ee'd rimemba, un bless um. God alsoo sed that sum o' the sittiz o' Canaan ud gorra be kep' uz sittiz o' refyewj.

If a mon killed anutha mon be acksidunt, such uz gooin' tew a wud ter chop dahn a tree, un the yed o' th' ax flew off th' 'ondle un 'it sumboddy un killed 'im, it wor intenshunul. The bloke shud goo ter the gairts o' one o' theez sittiz o' refyewj un tell the elders livvin' the'er worr 'ee'd dun. The elders ud tek 'im inter the sittee un gi' 'im a plairse ter live we'er 'ee'd be sairf frum punishmint, cuz God sed the jed mon's rilairshuns ud waant ter goo un kill the bloke worr ud acksiduntly killed.

If a bloke killed anutha bloke uv a pairpuss 'e wuz a mairderer, un enny rilairshun uv the mairdud mon cud goo un kill the mairderer.

Evvry 'ear, God waantid evvry mon ter gatha the fust grairn un frewt wot wuz ripe, un purr it in a basket un tek it ter the tabbunackle. 'E shud wairship God wile 'e wuz the'er ut the tabbunackle un layve the things 'ee'd tuk fer the prayst.

Then the Lord cummarndid Moses un Joshua ter gurrew the tabbunackle. Wen thay got the'er the Lord appayered tew um in a clahd un appiyntid Joshua ter be rewler oover the peeple.

Moses rit all the laws o' God in a buk un asked the praysts un elders ter gerr all the peeple tergether evvry sevun 'ear un rayd the laws aht lahd tew um. 'E gid this buk ter the

Levites un tode um ter purr it in the side o' the saircrid ark we'er it mus' alliz be kep'.

Afta theez things, the Lord spoke ter Moses un tode 'im ter goo up a mahntin called Nebo, un frum the top on it 'ee'd be airble ter see Canaan in the distunss. Wen Moses 'ad sid the promissed land, 'e died on top o' the mahntin, un the Lord berrid 'im in a vallee in the land uv Moab, but no mon uz evva knowed th' exact plairse 'e wuz berrid.

Moses wuz 'undrud un twenty 'ear ode wen 'e died, burr 'e adn't growed wek wi' airj; 'e wuz well un strung rite ter the day the Lord tuk 'im.

All the childrun uv Israel blartid fer Moses. Thay mourned in the plairns uv Moab fer thairty days.

Afta Moses wuz jed, Joshua rewled oover the peeple, un thay abbayed 'im like thay did Moses. God gid Joshua wizdum, un med 'im airble ter taych un giyde the peeple like Moses ud dun afower 'im.

Acknowledgments:

I wish to express my thanks to the Black Country Society for bringing this work to publication.

I owe a debt of gratitude to the late Harold Parsons, for his invaluable help and untiring encouragement.

Kate Fletcher.